# Ciencias Naturales

## CUARTO GRADO

*Ciencias Naturales. Cuarto grado* fue desarrollado por la Dirección General de Materiales Educativos (DGME) de la Subsecretaría de Educación Básica, Secretaría de Educación Púb

**Secretaría de Educación Pública**
*Alonso Lujambio Irazábal*

**Secretaría de Educación Básica**
*José Fernando González Sánchez*

**Dirección General de Materiales Educativos**
*María Edith Bernáldez Reyes*

**Coordinación técnico-pedagógica**
Dirección de Desarrollo e Innovación de Materiales Educativos, DGME/SEP
María Cristina Martínez Mercado, Ana Lilia Romero Vázquez, Alexis González Dulzaides

*Autores*
Nelly del Pilar Cervera Cobos, Gustavo David Huesca Guillén, Luz María Luna Martínez, Luis Tonatiuh Martínez Aroche, Adolfo Portilla González,  Juana Guadalupe Rodríguez Arteaga, Antonio Solís Lugo

*Colaboración*
Humberto Torres Melchor

*Revisión técnico-pedagógica*
Óscar Osorio Beristain, Denysse Itzala Linares Reyes, Daniela Aseret Ortiz Martinez

*Asesores*
Lourdes Amaro Moreno, Leticia María de los Ángeles González Arredondo, Óscar Palacios Ceballos

**Coordinación editorial**
Dirección Editorial, DGME/SEP
Alejandro Portilla de Buen, Pablo Martinez Lozada, Esther Pérez Guzmán

*Cuidado editorial*
Sergio Campos Peláez

*Producción editorial*
Martín Aguilar Gallegos

*Formación*
Magali Gallegos Vázquez

**Portada**
Diseño de colección: Carlos Palleiro
Ilustración de portada: Margarita Sada

Primera edición, 2010
Segunda edición, 2011 (ciclo escolar 2011-2012)

D.R. © Secretaría de Educación Pública, 2011
        Argentina 28, Centro
        06020, México, D.F.

ISBN: 978-607-469-688-2

Impreso en México
DISTRIBUCIÓN GRATUITA-PROHIBIDA SU VENTA

**Servicios editoriales (2010)**
Petra Ediciones, S.A. de C.V.

*Coordinación, dirección de arte, diseño y diagramación*
Peggy Espinosa

*Producción y cuidado de la edición*
Diana Elena Mata Villafuerte

*Asesoría científica y asistencia editorial*
Arturo Curiel Ballesteros, Eduardo Elías Ortiz Espinosa

*Corrección de estilo*
Sofía Rodríguez Benítez

*Análisis de archivos digitales*
Víctor Alain Iváñez

*Ilustración*
Manuel Marín (pp. 8-9, 16, 17-18, 19, 22; 23, 27-30, 32-34, 47, 55, 57, 59, 70, 141); Sara Arámburo (pp. 14-15, 44, 113, 116); Ianna Andréadis (pp. 24, 47, 59); Diana Mata (p. 26); Jimmar Vázquez (pp. 20, 46, 50, 66, 80, 82, 86, 102, 106, 109, 111, 114, 117, 121, 124, 135-139, 143, 150, 152); Arturo Curiel Ballesteros (pp. 46), STPS (p. 157), Fernando Guillén (pp. 60-61, 65, 66, 67), David A. Hardy (p. 143).

**Agradecimientos**
La Secretaría de Educación Pública agradece a los más de 23 284 maestros y maestras, a las autoridades educativas de todo el país, al Sindicato Nacional de Trabajadores de la Educación, a expertos académicos, a los Coordinadores Estatales de Asesoría y Seguimiento para la Articulación de la Educación Básica, a los Coordinadores Estatales de Asesoría y Seguimiento para la Reforma de la Educación Primaria, a monitores, asesores y docentes de escuelas normales, por colaborar en la revisión de las diferentes versiones de los libros de texto llevada a cabo durante las Jornadas Nacionales y Estatales de Exploración de los Materiales Educativos y las Reuniones Regionales, realizadas en 2009, así como a la Dirección General de Desarrollo Curricular, Dirección General de Educación Indígena, Dirección General de Desarrollo de la Gestión e Innovación Educativa.

La SEP extiende un especial agradecimiento a la Organización de Estados Iberoamericanos para la Educación, la Ciencia y la Cultura (OEI), por su participación en el desarrollo de esta edición.

También se agradece el apoyo de las siguientes instituciones: Universidad Nacional Autónoma de México, Centro de Educación y Capacitación para el Desarrollo Sustentable de la Secretaría del Medio Ambiente y Recursos Naturales, Secretaría del Trabajo y Previsión Social, Ministerio de Educación de la República de Cuba. Asimismo, la Secretaría de Educación Pública extiende su agradecimiento a todas aquellas personas e instituciones que de manera directa e indirecta contribuyeron a la realización del presente libro de texto.

# Presentación

La Secretaría de Educación Pública, en el marco de la Reforma Integral de la Educación Básica, plantea una propuesta integrada de libros de texto desde un nuevo enfoque que hace énfasis en la participación de los alumnos para el desarrollo de las competencias básicas para la vida y el trabajo. Este enfoque incorpora como apoyo Tecnologías de la Información y Comunicación (TIC), materiales y equipamientos audiovisuales e informáticos que, junto con las bibliotecas de aula y escolares, enriquecen el conocimiento en las escuelas mexicanas.

Después de varias etapas, en este ciclo se consolida la Reforma en los seis grados y, en consecuencia, se presenta esta propuesta completa de los nuevos libros de texto, que abarca la totalidad de las asignaturas en todos los grados.

Este libro de texto incluye estrategias innovadoras para el trabajo escolar, demandando competencias docentes orientadas al aprovechamiento de distintas fuentes de información, el uso intensivo de la tecnología, la comprensión de las herramientas y de los lenguajes que niños y jóvenes utilizan en la sociedad del conocimiento. Al mismo tiempo, se busca que los estudiantes adquieran habilidades para aprender de manera autónoma, y que los padres de familia valoren y acompañen el cambio hacia la escuela mexicana del futuro.

Su elaboración es el resultado de una serie de acciones de colaboración, como la Alianza por la Calidad de la Educación, así como con múltiples actores entre los que destacan asociaciones de padres de familia, investigadores del campo de la educación, organismos evaluadores, maestros y expertos en diversas disciplinas. Todos ellos han nutrido el contenido del libro desde distintas plataformas y a través de su experiencia: a todos ellos, la Secretaría de Educación Pública les extiende un sentido agradecimiento por el compromiso demostrado con cada niño residente en el territorio nacional y con aquellos mexicanos que se encuentran fuera de él.

SECRETARÍA DE EDUCACIÓN PÚBLICA

# Conoce tu libro

En este libro se explica cómo los seres humanos forman parte de la Naturaleza y por qué es necesario que ésta se conozca y respete pero, sobre todo, que el individuo sea consciente de su participación dentro de ella y tome decisiones libres, responsables e informadas.

El libro está organizado en cinco bloques; cada uno contiene temas, en los que encontrarás información que te servirá como base para que realices tus actividades. Los temas incluyen varias secciones o apartados:

**Actividades**
Con su ayuda realizarás investigaciones y proyectos colectivos para desarrollar habilidades científicas que te permitan comprender tu ambiente y sus problemas, para que puedas proponer y participar en acciones que mejoren el trabajo en equipo.

**Aprendizajes esperados**
Texto que te indica el conocimiento que aprenderás durante el tema.

**Título del tema** que te indica el contenido que guía las actividades a realizar.

**Proyecto**
Actividad en la que pondrás en práctica las habilidades y conocimientos adquiridos durante el desarrollo de los temas.

# Conoce tu libro

Al final de cada bloque aparece una Evaluación y una Autoevaluación. En ellas valorarás qué has aprendido, reflexionarás sobre la utilidad de tu aprendizaje y acerca de los aspectos que necesitas mejorar.

Además tu libro presenta las siguientes secciones:

**Un dato interesante**
Te presenta información adicional sobre el tema.

**Consulta en...**
Te proporciona la dirección de páginas electrónicas y datos de libros de la biblioteca escolar para que puedas ampliar tus conocimientos acerca del tema. Te recomendamos navegar en internet siempre en compañía de un adulto.

**La ciencia y sus vínculos**
Sección que vincula tu aprendizaje en torno a la ciencia con conocimientos de otras asignaturas.

Para complementar lo anterior, a lo largo del curso debes integrar:

*Portafolio de ciencias.* Carpeta para conservar los trabajos que realizarás a lo largo del bloque, de tal forma que te sirvan de material de apoyo para el diseño y presentación de tus proyectos.

*Mi diccionario de ciencias.* Así rotula un apartado de tu cuaderno, donde anotarás los significados y las palabras que desconozcas, te resulten interesantes o sean importantes para definir un tema.

# Índice

# ¿Cómo mantener la salud?

ÁMBITOS:
- EL AMBIENTE Y LA SALUD
- LA TECNOLOGÍA
- EL CONOCIMIENTO CIENTÍFICO

Durante el desarrollo de este tema reconocerás cuáles son los caracteres sexuales de mujeres y hombres, y su relación con la reproducción.

Asimismo, comprenderás que las diferencias físicas e intelectuales entre uno y otro sexo nos complementan con el propósito de promover el respeto y la igualdad de oportunidades (derechos y obligaciones).

TEMA 1

# Los caracteres sexuales de mujeres y hombres

En tu curso de Ciencias Naturales de tercer grado aprendiste que los seres vivos respiran y se alimentan.

Otra característica común a todos los seres vivos es la reproducción.

En el ser humano las hormonas son las responsables de la aparición de los caracteres sexuales secundarios. Éstas viajan a través del torrente sanguíneo hacia los tejidos, órganos y el aparato sexual.

## ¿Qué sé de la reproducción?

**Explica.**

En parejas contesten las siguientes preguntas:
¿Qué es la reproducción? _____
_____
_____

¿Por qué la reproducción es una función importante? _____
_____
_____
_____
_____

## Los caracteres sexuales y su relación con la reproducción

El cuerpo humano funciona de manera integrada, los diferentes tejidos y órganos que lo componen se relacionan entre sí para formar aparatos y sistemas que dependen unos de otros para su funcionamiento.

En este tema estudiaremos al cuerpo humano considerando la relación cercana que guardan sus aparatos y sistemas.

Los aparatos y sistemas interactúan de manera integrada en el funcionamiento del cuerpo humano.

## Mi cuerpo por fuera

### Identifica y conoce.

En el transcurso de la historia, los seres humanos hemos elaborado representaciones del cuerpo humano. Por ejemplo, en el periodo postclásico (900-1521 d.C.) la cultura huasteca ya hacía figuras de barro con forma humana, como las que aquí mostramos.

En equipos observen las siguientes imágenes y contesten:

¿Qué diferencias físicas hay entre el cuerpo del hombre y el de la mujer? _____
_____
_____

¿Cuáles órganos o partes del cuerpo son iguales y cuáles diferentes?
_____
_____
_____
_____

Reflexionen y compartan sus respuestas.

## El aparato sexual

Este aparato lleva a cabo la reproducción. La reproducción es la capacidad que tienen los seres vivos para engendrar nuevos individuos. Gracias a este proceso se preservan las especies.

En la reproducción humana intervienen un hombre y una mujer, cada sexo tiene órganos especializados para realizar esta función.

Mujer hincada, desnuda, con argollas en la nariz, Museo Nacional de Antropología.

140 cm

"El adolescente de Tamuín", Museo Nacional de Antropología, 111 x 39 cm.

## ¿En qué somos diferentes?

### Observa y reconoce.

1. Observa las imágenes del aparato sexual del niño y de la niña, y escribe en tu cuaderno en qué son diferentes.

2. Lee los siguientes párrafos, busca el significado de las palabras que no conozcas y anótalas en tu diccionario.

"Los caracteres sexuales son las diferencias existentes entre el cuerpo de la mujer y el hombre."

"Se denominan caracteres sexuales primarios al conjunto de órganos internos y externos que forman parte de nuestro aparato sexual; los tenemos desde que nacemos y nos permiten saber si somos niños o niñas."

"Los caracteres sexuales secundarios están constituidos por las formas físicas externas que hacen diferente a las mujeres y a los hombres."

"Una vez que los caracteres sexuales se desarrollan, te conviertes en una persona sexualmente madura."

Como puedes observar, las diferencias físicas entre la mujer y el hombre son evidentes. En el cuerpo del hombre el aparato sexual está conformado por los testículos, los conductos deferentes, la próstata, las vesículas seminales y el pene. A partir de la adolescencia, en los testículos se forman los espermatozoides, que son las células sexuales masculinas. En un momento determinado, los espermatozoides salen del cuerpo contenidos en un líquido espeso. A ese líquido con los espermatozoides se le llama semen.

En la mujer el aparato sexual está conformado por los ovarios, las tubas uterinas, el útero o matriz (un órgano hueco parecido a una bolsa), la vagina (que comunica la vulva con el útero) y la vulva, conformada por el clítoris, los labios menores y los labios mayores.

Clítoris
Labios mayores
Labios menores
Orificio uretral
Orificio vaginal
Ano

Intestino grueso
Útero
Vejiga
Vagina
Ano

Tubas uterinas
Útero
Vagina
Ovario

**¿Qué aprendí sobre al aparato sexual?**

**Reflexiona, reconoce e identifica.**

En equipos, respondan en su cuaderno las preguntas:

¿Qué es la reproducción y por qué se considera que es una función importante?

¿Qué órganos del aparato sexual intervienen en la reproducción? Contrasten estas respuestas con las que dieron en la actividad de la página 11 y reflexionen, ¿las respuestas fueron semejantes o diferentes?

Consulta en...

http://www.edufuturo.com/educacion.php?c=2459
http://www.conevyt.org.mx/cursos/cursos/edu_hijos/contenido/fasciculos/sex_4/sexyrepro.htm
http://www.mexfam.org.mx

En los ovarios se producen las células sexuales femeninas llamadas óvulos. Los óvulos son células más grandes que los espermatozoides, pero ninguno de los dos puede verse a simple vista.

El espermatozoide se une con el óvulo y se forma una célula única a la que se le llama cigoto, en un proceso que recibe el nombre de fecundación.

Al producirse las células sexuales femeninas y masculinas el cuerpo humano está sexualmente maduro y en condición de procrear. El hombre tendrá una eyaculación con la salida de semen y la mujer iniciará su primera menstruación.

Si ocurre la fecundación, el cigoto se adhiere al interior del útero, y en la mujer se desarrollará un nuevo ser.

**Un dato interesante**

La primera vez que alguien pudo ver los espermatozoides fue en 1679. Anton van Leeuwenhoek, inventor del primer microscopio, fue quien pudo hacerlo con la ayuda de este instrumento.

## Semejanzas en las capacidades físicas e intelectuales de hombres y mujeres

Ahora que conoces más acerca del cuerpo humano, te habrás dado cuenta de las diferencias biológicas entre mujeres y hombres. Esto lleva a la reflexión de que no obstante estas diferencias, todos merecen los mismos derechos y oportunidades de estudio, trabajo e integración en la vida social. A ello se le llama igualdad o equidad de género y es una forma de asegurar el desarrollo del ser humano y la calidad de vida en cualquier parte del país.

Al tener derechos, también adquirimos obligaciones, por lo que es necesario entender que todos debemos cooperar, participar activamente y apoyarnos en las diferentes situaciones que se presenten con los compañeros, en casa, en la calle y en otros lugares.

## ¿Qué es equidad?

### Selecciona información y reflexiona.

Busca en un diccionario el significado de la palabra equidad.

En equipos, expliquen con sus palabras la siguiente frase: "Se dice que hay equidad de género cuando hay igualdad de oportunidades para la mujer y el hombre."

Consulten su libro de Formación Cívica y Ética y con ayuda de su profesor busquen el tema que trata sobre la igualdad de oportunidades y hagan un resumen en su cuaderno individualmente, con una reflexión acerca de ¿por qué es importante que se manifieste en todo lo que hacemos la equidad de género? También elabora una lista de las situaciones de tu vida diaria en que reconozcas la equidad de género, puedes apoyarte con las imágenes de esta página.

Después, en plenaria reflexionen nuevamente y respondan, ¿cómo resolverían la falta de equidad de género?

Durante el desarrollo de este tema aprenderás algunas de las funciones del cuerpo humano y su relación con la salud.

Asimismo, explicarás la importancia de fomentar y poner en práctica hábitos que promueven tu salud.

■■■ TEMA 2

# Acciones para favorecer la salud

## Funciones del cuerpo humano y su relación con el mantenimiento de la salud

### El sistema nervioso

El sistema nervioso está compuesto por órganos que reciben información del medio que nos rodea, la procesan para dar una respuesta y transmiten ésta a nuestros aparatos y sistemas. Así podemos ver, oír, olfatear, saborear la comida o sentir frío, calor o dolor; y como respuesta podemos movernos, alejarnos del calor o del frío excesivos o del peligro. Además, nos permite el pensamiento y la reflexión sobre nuestros actos.

El sistema nervioso también recibe información del interior de nuestro cuerpo, por esa razón sentimos apetito, sed o dolor y como respuesta comemos, bebemos agua o alejamos nuestro cuerpo del estímulo doloroso. Además, este sistema controla muchas funciones del organismo sin que tengamos que pensar en ellas, por ejemplo, el latido del corazón y la respiración.

### Mi cuerpo como un todo

**Reconoce e identifica.**

Responde en tu cuaderno la siguiente pregunta con la colaboración de tus compañeros:

¿Qué importancia tiene el sistema nervioso y cómo se relaciona con todo tu cuerpo?

Nuestro sistema nervioso se mantiene en relación y comunicación continua con todos los órganos. Como los aparatos y sistemas están comunicados entre sí, las enfermedades que afectan a uno, tienen algunas veces efectos en los demás. De la estabilidad y el buen funcionamiento del sistema nervioso depende que se lleven a cabo de manera adecuada las demás funciones.

Los órganos que forman parte del sistema nervioso pueden llegar a dañarse por accidentes, enfermedades o el consumo de sustancias tóxicas y drogas. Para cuidarlos es necesario realizar acciones como:

- Dormir ocho horas diarias en promedio.
- Incluir en la dieta alimentos ricos en vitaminas del complejo B: hígado, pescado, cereales y leguminosas.
- Llevar una dieta correcta y equilibrada.
- Hacer ejercicio físico.

- Evitar golpes en la cabeza; pueden ocasionar daños severos en el sistema nervioso e incluso la muerte.
- Evitar emociones negativas: establecer relaciones cordiales y saludables con las personas, y tratar de resolver los problemas mediante el diálogo y la tolerancia.
- Evitar el consumo de tabaco, café y alcohol.
- Evitar exponerse al humo del tabaco, pues causa el mismo daño que fumar.

## El aparato locomotor

Este aparato está formado por músculos, huesos y articulaciones. Para conocer algunas de sus características toca los huesos de tu codo. ¿Son duros o suaves? Esta propiedad de los huesos da soporte y protección a los órganos importantes del cuerpo.

En el aparato locomotor también permite el movimiento de tu cuerpo. Está integrado por el sistema muscular (constituido por músculos) y el sistema óseo (formado por los huesos, ligamentos, cartílagos y articulaciones); y a ambos los coordina el sistema nervioso (formado por una red de tejidos y terminaciones nerviosas).

### ¿Qué son los movimientos voluntarios e involuntarios?

**Investiga, identifica y reflexiona.**

Para saber acerca de los movimientos voluntarios e involuntarios que lleva a cabo tu cuerpo, realiza la siguiente actividad, con la ayuda y guía de tu profesor. Selecciona diversas fuentes de información e investiga qué movimientos del cuerpo son voluntarios e involuntarios. Con la información que obtuviste haz una tabla en tu cuaderno.

Ahora contesta las siguientes preguntas y reflexiona sobre lo que aprendiste:

¿Cómo se relaciona el aparato locomotor con todo tu cuerpo?

¿Qué importancia tiene el aparato locomotor?

Hueso

Fibra muscular

Músculo

Médula ósea
(interior del hueso)

Los huesos, además de dar protección y soporte, también participan con los músculos para dar forma al cuerpo. ¿Sabes a cuáles órganos protegen? Toca tu cabeza y tus costillas; los huesos que percibes protegen órganos importantes como el cerebro, el corazón y los pulmones.

Además, los huesos son una gran reserva de sustancias como calcio y fósforo, que son muy importantes para la función reproductiva de la mujer durante el embarazo y la lactancia.

Para evitar que tengas lesiones en tu aparato locomotor y pierdas movilidad, sigue estas medidas:

- Mantén una posición correcta al sentarte, estar de pie, caminar o cargar una mochila pesada.
- Practica deportes.
- Aliméntate con una dieta correcta.
- Consume alimentos ricos en vitamina D, como los productos lácteos y el pescado, ya que esta vitamina ayuda a fijar el calcio a tus huesos y dientes y los fortalece.
- Evita acciones de riesgo para prevenir fracturas y otros daños en tu columna vertebral.

### ¿Qué sostiene y protege mi cuerpo?

**Reconoce, identifica y reflexiona.**

¿Qué sucedería si de pronto no tuvieras huesos? _____

_____

¿Cómo serían tus movimientos?

_____

_____

Ahora, toca los músculos de tu pierna. ¿Son duros, o suaves?

_____

Toca tu rodilla, mueve tu pierna e identifica la articulación (que es el punto donde los huesos se unen).

Los músculos, huesos y articulaciones tienen la función de permitir el movimiento de las distintas partes de nuestro cuerpo.

## ¿Cómo puedo cuidar mi aparato locomotor?

### Reconoce, identifica y explica.

En equipos con la guía de su profesor discutan y encierren las imágenes de la derecha que muestran las medidas para cuidar y proteger el aparato locomotor.

Investiguen otras acciones que pueden realizar para mantenerlo sano. Reflexionen y contesten en su cuaderno: ¿Qué acciones les corresponde realizar para cuidar su salud cuando cargan su mochila u otros objetos que pesen más del 10% de su peso corporal?

¿Por qué son importantes todas estas acciones? Recuerda que una mala postura en las actividades que realices en la vida diaria, provoca daños a tu salud.

## El aparato circulatorio

El aparato circulatorio consta del corazón, sangre, arterias, vasos capilares y venas. Su función es llevar la sangre a todo el cuerpo; a esta acción se le conoce como circulación sanguínea.

La sangre, al ser impulsada por el corazón, circula por el cuerpo a través de arterias y venas. La sangre que fluye por las arterias lleva el oxígeno y los nutrimentos a todo el cuerpo.

La sangre de las venas transporta el dióxido de carbono y los desechos del cuerpo para su eliminación.

Al transportar la sangre por todo el cuerpo, el aparato circulatorio se relaciona con los demás sistemas y aparatos, pero de manera directa se relaciona con el respiratorio (al transportar en la sangre el oxígeno y el dióxido de carbono) y el digestivo (al transportar los nutrimentos).

## ¿Cómo puedo cuidar mi aparato circulatorio?

### Investiga, reconoce y reflexiona.

En la siguiente lista hay algunas medidas que son útiles para cuidar tu aparato circulatorio. Investígalas y reflexiona acerca de su importancia y por qué debes llevarlas a cabo, anota tus resultados en tu cuaderno.

### Medidas para cuidar el aparato circulatorio:

- Alimentarse correctamente para evitar el sobrepeso y la obesidad.
- Usar ropa holgada.
- Realizar deporte y ejercicio físico.
- Comer poca sal, azúcar y grasa.
- Evitar fumar e ingerir bebidas alcohólicas.
- Beber agua simple potable.
- Vivir en un entorno saludable.

Además del agua simple potable puedes incluir, con moderación, varios tipos de bebidas. En la ilustración puedes ver las proporciones y recomendaciones diarias de la Jarra del Buen Beber.

| | | |
|---|---|---|
| REFRESCOS, AGUA DE SABOR | NIVEL 6 | 0 VASOS |
| JUGO 100% DE FRUTAS, LECHE ENTERA | NIVEL 5 | 0-1/2 VASOS |
| BEBIDAS NO CALÓRICAS CON EDULCORANTES ARTIFICIALES | NIVEL 4 | 0-2 VASOS |
| CAFÉ Y TÉ SIN AZÚCAR | NIVEL 3 | 0-4 VASOS |
| LECHE SEMI Y DESCREMADA Y BEBIDAS DE SOYA SIN AZÚCAR ADICIONADA | NIVEL 2 | 0-2 VASOS |
| AGUA POTABLE | NIVEL 1 | 6-8 VASOS |

## El aparato digestivo

El aparato digestivo está formado por boca, faringe, laringe, esófago, estómago, intestinos delgado y grueso, recto y ano. El hígado, el páncreas y la vesícula biliar son órganos que proporcionan secreciones necesarias para digerir los alimentos.

Durante la digestión, los alimentos se transforman en nutrimentos simples que se distribuyen por el cuerpo a través de la sangre. De ellos obtenemos la energía para realizar actividades como jugar, correr y estudiar.

Por lo tanto, la función del aparato digestivo es procesar los alimentos que consumimos, es decir, prepararlos para que el cuerpo los absorba y asimile.

Como los nutrimentos deben llegar a los distintos órganos del cuerpo, este aparato está relacionado con todos los otros aparatos y sistemas, pero de manera más estrecha con el aparato circulatorio, que transporta los nutrimentos.

Para cuidar tu aparato digestivo debes llevar a cabo las siguientes acciones:

- Aliméntate de manera correcta y en horarios regulares.
- Lava y desinfecta verduras y frutas antes de consumirlas.
- Lávate las manos antes y después de ir al baño.
- Evita consumir golosinas, frituras y refrescos.
- Mastica bien los alimentos.
- Lávate la boca y cepilla tus dientes por lo menos tres veces al día.
- No bebas agua de charcos o de tomas para riego; observa las recomendaciones de la Jarra del Buen Beber.

## ¿Cómo puedo cuidar mi aparato digestivo?

**Investiga, reconoce y comunica.**

En equipos, elaboren en una cartulina un dibujo de cada una de las medidas para cuidar el aparato digestivo. Péguenla en el periódico mural de la escuela. En su cuaderno escriban por qué es importante cada una de ellas.

## El aparato respiratorio

El aparato respiratorio consta de nariz, laringe, tráquea, pulmones, bronquios y alveolos. Su función es abastecer de oxígeno al cuerpo y desechar el dióxido de carbono.

El aire entra por la nariz a nuestro organismo, en ella se filtra, calienta y humedece; de ahí pasa por la laringe para llegar a la tráquea y los pulmones.

En los alveolos, unos diminutos sacos que se encuentran en los pulmones, el oxígeno pasa a la sangre. En ellos también se deposita el dióxido de carbono para ser expulsado del cuerpo.

El oxígeno es llevado por los glóbulos rojos (unos componentes de la sangre) hacia el corazón y luego distribuido a todo el cuerpo, por eso el aparato respiratorio está relacionado de manera muy directa con el sistema circulatorio.

La acción de jalar aire hacia los pulmones se llama inspiración o inhalación, y la de expulsarlo se le conoce como espiración o exhalación. Estos movimientos son involuntarios y automáticos, aunque en cierta medida los puedes controlar. Puedes detener la respiración, pero cuando al cuerpo le falte oxígeno, inmediatamente sentirás el impulso y la necesidad de respirar.

**Consulta en...**
También puedes encontrar información en Internet y en el libro *¿Conoces las partes de tu cuerpo?*, que forma parte de tu Biblioteca E scolar. http://salud.edomexico.gob.mx/salud/doc/cartillasnuevas/CartillaNino0-9.pdf (Conoce la Cartilla Nacional de Salud).

Glóbulos rojos.

¿Qué partes se relacionan con el sistema circulatorio?

### ¿Cómo puedo cuidar mi aparato respiratorio?

**Investiga, reconoce y reflexiona.**

En el esquema de la derecha faltan otras acciones que pueden ser útiles para el cuidado de tu aparato respiratorio; investiga cuáles son y escríbelas en los espacios.

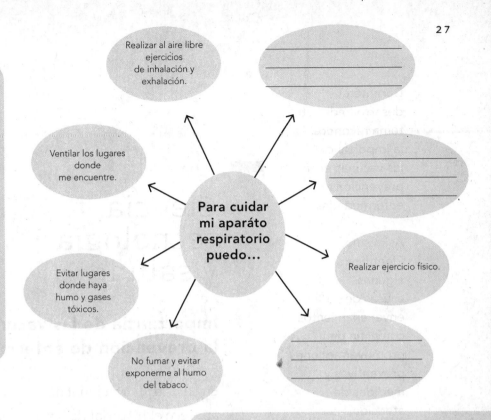

Realizar al aire libre ejercicios de inhalación y exhalación.

_____
_____
_____

Ventilar los lugares donde me encuentre.

**Para cuidar mi aparáto respiratorio puedo...**

_____
_____
_____

Evitar lugares donde haya humo y gases tóxicos.

Realizar ejercicio físico.

No fumar y evitar exponerme al humo del tabaco.

_____
_____
_____

Recuerda que cuidar el ambiente es una manera de proteger tu aparato respiratorio, entre otros beneficios.

### Las funciones que realiza mi cuerpo

**Reflexiona, analiza e integra.**

Con la guía de su profesor, reflexionen, analicen y completen el siguiente cuadro de funciones del cuerpo humano con la información que hace falta. Para completarlo, piensen con detenimiento en la manera como se relacionan los diferentes sistemas y aparatos del cuerpo para llevar a cabo sus funciones. Por ejemplo, los nutrimentos obtenidos de los alimentos circulan por medio de la sangre, por lo tanto el aparato digestivo y el sistema circulatorio se relacionan de manera cercana.

| Sistema o aparato | Su función consiste en | Sistemas o aparatos con los que se relaciona de manera cercana |
|---|---|---|
| Nervioso | Recibir estímulos, transformarlos y llevar información al cerebro. | |
| | Realizar todos los movimientos de nuestro cuerpo. | |
| | Distribuir la sangre por el cuerpo. | |
| | Transformar los alimentos en nutrimentos. | |
| | Abastecer de oxígeno al cuerpo y desechar dióxido de carbono. | |
| | Generar un ser vivo a partir de otro. | |

Durante el desarrollo de este tema reconocerás la importancia de las vacunas en la prevención de enfermedades.

Asimismo, identificarás algunas causas de los envenenamientos con el fin de promover acciones preventivas y medidas de atención.

TEMA 3

# Ciencia, tecnología y salud

## Importancia de las vacunas en la prevención de enfermedades

En tu Cartilla Nacional de Vacunación aparece el historial de las vacunas que te han aplicado. ¿Sabes cuáles son?¿Sabes desde cuándo se vacuna la gente?

Desde los inicios de nuestra historia, los seres humanos han buscado la manera de evitar enfermedades. Con el desarrollo de la ciencia, se han realizado numerosas investigaciones en este sentido. Uno de los descubrimientos más importantes son las vacunas.

## La ciencia y sus vínculos

En 1796, en Europa, hubo una gran epidemia de viruela. El doctor Edward Jenner observó que quienes ordeñaban vacas, se contagiaban de una viruela similar a la de los seres humanos, menos dañina y que no causaba la muerte, además que no enfermaban de la viruela humana.

Con una aguja Jenner tomó pus de una herida abierta de una granjera enferma de viruela de vaca, y con esa aguja raspó la piel del hombro de un niño de 8 años. El pequeño sanó y 48 días más tarde Jenner lo expuso a enfermos de viruela humana. El niño no enfermó. Así se descubrieron las vacunas; nombre que derivó de la palabra "vaca", ya que la primera viruela con que Jenner experimentó.

Hoy existe una gran variedad de vacunas para enfermedades como la tuberculosis, la poliomielitis o vacunas combinadas como la pentavalente que te protege contra la difteria, tosferina, tétanos, influenza tipo b y hepatitis B, algunas se aplican a los niños en edad temprana. Hay vacunas, como la de la viruela, que ya no se usan debido a que se erradicó esta enfermedad en México en el año de 1977. ■

Edward Jenner aplicando la primera vacuna de viruela.

Cuando te vacunan, tu organismo reacciona y forma defensas contra una enfermedad; por lo que, si entras en contacto con quien la tenga será más difícil que te contagies, en caso de contraerla, los síntomas serán menores.

Las vacunas nos ayudan a evitar enfermedades como la tuberculosis, las paperas, el sarampión o la varicela. De modo que cuando sea necesario aplicarte una vacuna debes cooperar, aunque te produzca dolor. El pequeño dolor que pudieras sentir, tendrá como recompensa evitar enfermedades muy serias.

Las enfermedades como la varicela o la viruela se propagan cuando el enfermo entra en contacto con otras personas. Cuando una gran cantidad de personas se contagian, se producen las epidemias. Esto ha sucedido en varias ocasiones a lo largo de la historia, con efectos muy graves. Por ejemplo, en 1520 los españoles trajeron a México el virus de la viruela y contagiaron a los nativos de estas tierras, lo que ocasionó una gran mortandad.

## La viruela en la Nueva España

**Analiza y reflexiona.**

Pide a tu profesor que lea en voz alta el fragmento siguiente del libro *Historia general de las cosas de la Nueva España*. Escucha en silencio y pon mucha atención.

"Antes que los españoles que están en Tlaxcala viniesen a conquistar a México, dio una grande pestilencia de viruelas a todos los indios, en el mes que llamaban tepeilhuitl, que es al fin de septiembre. Desta pestilencia murieron muchos indios; tenían todo el cuerpo y toda la cara y todos los miembros tan llenos y lastimados de viruelas que no se podían bullir ni menear de un lugar, ni volver de un lado a otro, y si alguno los meneaba daban voces. Esta pestilencia mató gentes sin número. Muchas murieron de hambre porque no había quien pudiese hacer comidas; los que escaparon desta pestilencia quedaron con las caras ahoyadas y algunos ojos quebrados."

Fray Bernardino de Sahagún
*Historia general de las cosas de la Nueva España*,
Libro VIII, capítulo 7, México, Porrúa, 1956.

Consulta el bloque III de tu libro de Historia y subraya las ideas que tienen relación con lo que acabas de leer. Luego, entre todo el grupo y con la guía de tu profesor respondan en su cuaderno las siguientes preguntas. Para hacerlo, consulten la información que subrayaron en su libro.

- ¿Quiénes eran los tlaxcaltecas?
- ¿Por qué murieron, según la historia que cuenta Fray Bernardino de Sahagún?
- ¿Por qué no se podía evitar en aquel tiempo que la gente muriera de esa manera?
- ¿Cómo se puede evitar en la actualidad que la gente muera de esa forma?
- ¿Para qué se hacen campañas de vacunación?
- ¿Cómo se llama el documento donde se registran y controlan las vacunas que recibe una persona?
- ¿Cuántas veces te han vacunado?
- ¿Para qué te vacunaron?

Para finalizar esta actividad, con los conocimientos que aprendiste en este bloque elabora carteles para hacer un periódico mural. Luego guarda estos trabajos, ya que te servirán para integrar tu portafolio.

Consulta en...

http://www.ime.gob.mx/
programas_salud/vacunas.htm

Fragmento del *Códice Florentino*, donde se representan enfermos de viruela.

## Envenenamientos, acciones preventivas y medidas de atención

Además de las enfermedades, a nuestro alrededor pueden haber agentes nocivos que ocasionen enfermedades, lesiones o alteraciones de las funciones del organismo. Un agente nocivo es todo aquello que puede afectar nuestro organismo y causarnos daño.

En cualquier lugar de nuestro entorno, ya sea en nuestra casa, en la escuela o en la calle podemos encontrar agentes nocivos; por ejemplo el exceso de ruido o de vibraciones, la mala iluminación, la falta de ventilación y el exceso de calor o de frío.

También se consideran agentes nocivos los virus, las bacterias y otros microorganismos que al entrar a nuestro cuerpo pueden producir daño, así como y las sustancias tóxicas.

### Prevención de accidentes provocados por sustancias tóxicas

Las sustancias tóxicas son compuestos venenosos que causan daño al organismo y que podemos encontrar en forma de polvos, gases y líquidos. El ser humano utiliza productos, que contienen sustancias tóxicas, para varios propósitos, por ejemplo, para el control de plagas domésticas (contra ratas, cucarachas, hormigas), para el control

Los agentes nocivos como sustancias tóxicas, microbios o ratas pueden ocasionar enfermedades, lesiones o alteraciones en el organismo e incluso la muerte.

de plagas en los cultivos (eliminación de pulgones, escarabajos, hongos, cochinillas); para la limpieza y el mantenimiento de las casas (detergentes, desinfectantes, pinturas, solventes), y como combustibles (gasolina, petróleo, gas LP), entre otros.

Las sustancias tóxicas son peligrosas porque pueden dañar nuestra salud, la de los animales, las plantas y el ambiente, si no son usadas de manera segura. Pueden penetrar en el organismo por tres vías: respiratoria (se inhalan por la nariz), oral (se ingieren por la boca) y por vía dérmica (a través de la piel).

Investiga con tus familiares y compañeros qué otras sustancias tóxicas hay en los productos que se usan en tu casa, escuela y lugares que acostumbras visitar.

Las siguientes acciones ayudan a evitar que dañes tu salud con las sustancias tóxicas.

- Mantener las sustancias tóxicas perfectamente cerradas y guardadas en sus envases originales.
- Identificar las sustancias colocando una etiqueta con el nombre del producto.
- Separar los productos que sean inflamables y protegerlos del Sol.

Un ambiente libre de agentes nocivos promueve la salud.

Consulta en...
http://salud.edomexico.gob.mx/salud/doc/cartillasnuevas/
CartillaNino0-9.pdf
http://www.stps.gob.mx/ANEXOS/PROPUESTAS_Didacticas.pdf

## Los agentes nocivos y la prevención de accidentes

### Analiza, reflexiona y asocia.

Las sustancias tóxicas son peligrosas porque dañan nuestra salud, es conveniente que procures promover un ambiente libre de agentes nocivos.

1. Observa las imágenes y anota en tu cuaderno la medida preventiva que debe considerarse en cada caso para evitar daños a la salud.

2. Completa las oraciones con las palabras colocadas en la parte inferior de cada una de ellas.

Mi mamá guarda el _____ en un _____ , para que mi hermano no lo alcance, porque es _____ .

anaquel          detergente          irritante

Los fuegos artificiales contienen _____ y deben estar lejos del _____ porque son _____ .

fuego          explosivos          pólvora

Al utilizar productos de limpieza como la sosa o
 el _____ es necesario usar _____ porque son_____ con la piel.

amoniaco          corrosivos          guantes

3. Busca en la sopa de letras las siguientes palabras relacionadas con los agentes nocivos.

| | | | |
|---|---|---|---|
| TÓXICAS | ILUMINACIÓN | POLVO | HONGOS |
| RUIDO | VENTILACIÓN | VIRUS | |
| VIBRACIÓN | CALOR | BACTERIAS | |

```
A O L L D R G I L U M I N A C I O N S D
R U E D L O I H B N M P O U H G F L E L
A C A E A E G L J I T P C O E C C Q A D
R A O S V I R U S D E O O S A L O Ñ C N
U U L T U X N A N G T C L L O V E I S S
S X I B N F T T L I O C X V V U A L S O
R V E D W E R Y U I B O P Ñ O O H G A D
B N T E O V G A S E S M H S E S S O C I
G O R A S D F G H H J K A Ñ B X C V I U
T I E V B N M Q W E R I Y A I O P S X Q
Y C D C A L O R R E R L C X J U E E O I
U A N M N B V C X E Z T S F G N L Ñ T L
I L H P O I U Y T R E W S Q O Ñ L K J H
J I U B A A R C R R B A N I H J G F J K
N T T T R E A Y I I O U C O L U P D F V
V N G F X B V A B B O A N K O F R I O X
D E N X D E S S D V R U Y I O P V D F B
R V J D M I C R O B I O S U I O P L R E
T V T C A S V E I N G R H O N G O S R V
B G A V B N M V E D C R F V Y H N A E I
```

4. Analiza de qué manera pueden afectarte los elementos que encontraste en la sopa, ya sea por su presencia, ausencia o exceso. ¿Qué órganos son los que se ven afectados?

**Información**

Color: verde o rojo.
Figura geométrica: cuadrado o rectángulo.

**Prevención**

Color: amarillo.
Figura geométrica: triángulo.

**Prohibición**

Color: rojo.
Figura geométrica: círculo con una diagonal.

**Obligación**

Color: azul.
Figura geométrica: círculo.

Las señales de seguridad informan sobre los riesgos y las acciones que debemos realizar para evitar que nos lastimemos a nosotros mismos o a otras personas.

PROYECTO

# La ciencia y la cultura de la prevención de accidentes

Durante el desarrollo de este proyecto llevarás a cabo actividades y harás propuestas para prevenir y proteger a tu organismo de las sustancias tóxicas.

La prevención consiste, en este caso, en llevar a cabo acciones para evitar el uso o manejo indebido de productos venenosos o tóxicos y, en caso de hacerlo por accidente, conocer la sustancia tóxica de que se trata y la medida de atención necesaria.

La protección se basa en conocer las medidas para prevenir intoxicaciones y para desechar de manera adecuada los residuos de las sustancias peligrosas y venenosas. Por ejemplo, usar mascarillas y guantes aislantes, evitar el contacto directo con alguna sustancia tóxica, entre otras.

## Planeación

Tu cuerpo es único e insustituible, por eso es necesario que lleves a cabo algunas acciones para cuidarlo. En casa algún adulto te habrá enseñado algunas medidas para protegerlo, a continuación te invitamos a investigar de qué otras maneras puedes prevenir enfermedades y daños causados por intoxicaciones con sustancias tóxicas y peligrosas.

Formen equipos y organicen sus ideas para planificar qué van a investigar. Para eso les sugerimos que respondan las siguientes preguntas.

## Planificación de actividades

Nombre del proyecto:
   ¿Qué problema de salud me gustaría investigar?
   ¿Para qué lo voy a investigar?
   ¿Qué resultados pienso obtener?
   ¿Cómo voy a realizar mi proyecto?
   ¿Qué materiales necesito y cómo los voy a conseguir?
   ¿Cuándo iniciaré mi proyecto?
   ¿En cuánto tiempo lo voy a desarrollar?
   ¿En dónde lo voy a llevar a cabo?
   ¿Quiénes serán los responsables de cada actividad?
   ¿Dónde voy a anotar y exponer los resultados?

## Desarrollo

Les proporcionamos una idea para esta etapa del proyecto; ustedes pueden sugerir otras. Antes de realizarlas, analicen con su maestro cada propuesta; por ejemplo, pueden hacer una campaña escolar para prevenir las intoxicaciones en el hogar. En cartulinas, elaboren cuadros para concentrar y ordenar la información. Pidan ayuda a sus padres o algún otro adulto para saber qué productos con sustancias peligrosas hay en casa. Elaboren una lista de ellas y pregunten para qué se usan, luego investiguen en Internet o en un centro de salud qué medidas existen para evitar intoxicaciones con ellas.

También pueden dar a conocer, por medio de carteles, algunos consejos para evitar la picadura o mordedura de animales ponzoñosos y lo que se debe hacer en esos casos.

## Comunicación

Elijan un lugar donde la comunidad escolar pueda conocer su trabajo; puede ser una pared a la entrada de la escuela o un pasillo principal. Peguen las cartulinas y dejen una en blanco para recibir los comentarios de sus compañeros acerca de su trabajo, o para compartir conocimientos sobre otras sustancias, sus usos y formas de prevención de intoxicaciones.

## Evaluación

Al realizar este ejercicio podrás conocer tu desempeño en el trabajo en equipo.
Es importante que reflexiones al respecto para mejorar cada vez más.

| | Sí | No | A veces | ¿Cómo puedo mejorar? |
|---|---|---|---|---|
| Expresé mis conocimientos relacionados con la cultura de la prevención de accidentes. | ◯ | ◯ | ◯ | |
| Busqué, seleccioné y organicé información acerca de la prevención de accidentes. | ◯ | ◯ | ◯ | |
| Utilicé diversos medios de comunicación, como textos, esquemas y modelos, para dar a conocer tanto la información como los resultados del proyecto. | ◯ | ◯ | ◯ | |
| Compartí la información y escuché la opinión de los miembros de mi equipo. | ◯ | ◯ | ◯ | |

# Evaluación

Para contestar lo siguiente será necesaria toda tu atención. Concéntrate en cada pregunta y escribe la respuesta en el espacio correspondiente. Verifica con tu profesor y tus compañeros que la respuesta sea la adecuada; si no es así, lee de nuevo la sección del libro donde se encuentra el tema, subraya la respuesta y vuelve a contestar la pregunta.

1. Contesta las siguientes preguntas.

¿Qué funciones realiza el aparato respiratorio? _____

_____

¿Por qué es importante conocer los órganos que forman parte de tu aparato sexual? _____

_____

Menciona algunas situaciones de la vida diaria en las que aún falta alcanzar la equidad de género. _____

_____

¿Por qué es importante tener una dieta correcta y vivir en un entorno saludable? Menciona, ¿qué acciones promueven la prevención de enfermedades y te conservan sano? _____

_____

2. Menciona algunas medidas para prevenir intoxicaciones.

_____

_____

3. Argumenta brevemente tu respuesta.

a) Si me enfermo de las vías respiratorias es probable que los órganos de otros sistemas o aparatos de mi cuerpo también se alteren. ¿A qué se debe esto?

_____

_____

b) ¿Qué sustancias tóxicas son las más comunes en casa y qué debemos hacer para evitar ponernos en riesgo por ellas?

_____

_____

# Autoevaluación

Es momento de que revises lo que has aprendido en este bloque. Lee cada enunciado y marca con una (√) el nivel que hayas logrado. Así, podrás reconocer tu desempeño al realizar el trabajo en equipo y de manera personal.

| | Siempre | Lo hago a veces | Difícilmente lo hago |
|---|---|---|---|
| Reconozco las semejanzas y diferencias en las capacidades físicas e intelectuales de hombres y mujeres. | ○ | ○ | ○ |
| Promuevo la equidad de género. | ○ | ○ | ○ |
| Explico la importancia de las vacunas en la prevención de las enfermedades. | ○ | ○ | ○ |
| Identifico las señales de seguridad y su uso. | ○ | ○ | ○ |

¿En qué otras situaciones puedo aplicar lo que aprendí en este proyecto? _____

_____

_____

| | Siempre | Lo hago a veces | Difícilmente lo hago |
|---|---|---|---|
| Contribuí con información para el trabajo en equipo. | ○ | ○ | ○ |
| Escuché con atención y respeto a mis compañeros. | ○ | ○ | ○ |
| Tomé en cuenta las propuestas de trabajo de mi equipo. | ○ | ○ | ○ |

Me propongo mejorar en: _____

_____

_____

Ahora dedica unos minutos a pensar en tu desempeño durante este bloque y contesta las siguientes preguntas:

¿Qué temas se me dificultaron? _____

¿Qué actividades me costaron más trabajo? _____

¿Las pude terminar? _____

¿Qué hice para lograrlo? _____

# ¿Cómo somos los seres vivos?

ÁMBITOS:
- LA VIDA
- EL AMBIENTE Y LA SALUD
- EL CONOCIMIENTO CIENTÍFICO

Durante el desarrollo de este tema explicarás algunas formas en que las plantas se reproducen y su interacción con otros seres vivos y el ambiente.

Asimismo, describirás algunas formas de reproducción de los animales y las reconocerás como adaptaciones al ambiente.

← Cañón de Batopilas, zona semihúmeda en el norte de México.

Helecho bajo los árboles de la selva tropical.

Piña, fruto del abeto, árbol de bosques fríos.

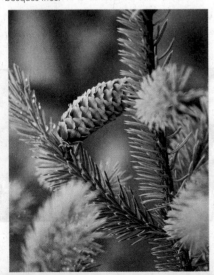

TEMA 1

# Diversidad en la reproducción

## Reproducción en plantas

Es probable que hayas sembrado algún tipo de semilla en un jardín, una maceta o el huerto de tu casa. ¿Dónde se originan las semillas? ¿Cómo se forman? Platícalo con los compañeros de clase y anótenlo en el cuaderno.

Orquídea de bosques húmedos.

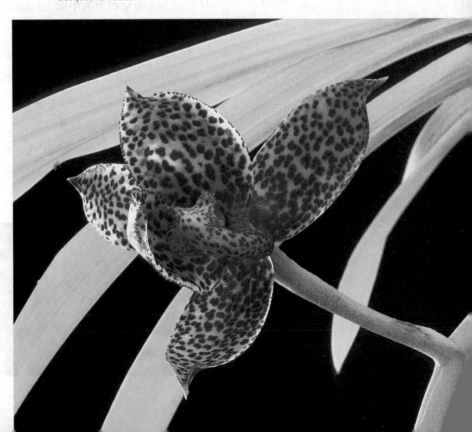

## ¿Semilla o planta?

### Observa e identifica.

Para reconocer las estructuras de las flores y las semillas, lleven a cabo la siguiente actividad.

**Materiales:**
- Dos ejotes
- Una flor de calabaza, de lirio o una azucena
- Tijeras
- Un alfiler
- Lupa

Manos a la obra. Abran a lo largo los ejotes y obsérvenlos. ¿Qué tienen adentro? _____
¿Cómo se formaron esas estructuras? _____
_____
_____

¿De qué parte de la planta salen los ejotes? _____
_____

¿Cómo se forman los ejotes y qué función tienen?_____
_____
_____
_____

Con las manos, abran la flor que consiguieron y observen las partes que la constituyen; para identificarlas auxíliense del esquema y del texto de la derecha. Identifiquen el cáliz, la corola y los estambres. Dibújenlos en su cuaderno.

Las partes de la flor

El cáliz de la flor está formado por un grupo de estructuras llamadas sépalos. Tiene forma de copa y sirve para sostener y proteger al resto de la flor.

La corola, formada por el grupo de pétalos, brinda protección a las estructuras internas de la flor, en ella existen colores y olores que atraen a insectos como las abejas, aves e incluso a murciélagos.

Los estambres tienen dos estructuras importantes: la antera y el filamento. Las anteras contienen el polen, que vemos como un polvo. Cada grano de polen contiene células, una de las cuales forma el tubo polínico, para la reproducción de la planta. El filamento sostiene en alto la antera para facilitar la dispersión del polen.

El conjunto de estambres constituyen el órgano sexual masculino de una planta con flor y se le llama androceo.

El centro de la bugambilia es un conjunto de flores pequeñas.

Flor con androceo y gineceo juntos.

Flor de ninfea, La Encrucijada, Chiapas.

Continúen revisando su flor: encuentren el pistilo y reconozcan en él las tres partes que lo conforman: ovario, estilo y estigma.

Con las tijeras, corten el pistilo por la mitad, a lo largo. Observen su interior con la lupa. Dibujen en su cuaderno las estructuras que observan.

Lean el texto de esta página y anoten en su cuaderno las palabras que no conozcan; luego busquen su significado en libros, revistas, diccionarios, enciclopedias, Internet, entre otras fuentes.

El pistilo o gineceo es el órgano sexual femenino de una planta con flor. Está formado por tres estructuras: el ovario, que contiene las células sexuales femeninas, llamadas óvulos; el estilo, que es un tubo por el cual el ovario se comunica con el exterior, y el estigma, que es una superficie con una sustancia pegajosa que fija los granos de polen que ahí se depositan.

Cuando el grano de polen hace contacto con el estigma, desde el polen se forma un tubo polínico que recorre el estilo hasta llegar a un óvulo para fecundarlo. El óvulo fecundado se desarrolla como un embrión envuelto por un material protector y nutritivo: la semilla. Mientras el óvulo se transforma en semilla, el ovario crece y se transforma en fruto.

Algunas plantas se reproducen sexualmente, es decir, lo hacen por la unión de una célula masculina con otra femenina. La fecundación ocurre en la flor. El ejote con el que han trabajado en esta ocasión es el fruto de la planta y en su interior, tal como lo observaron, maduran las semillas de frijol, que darán origen a una nueva planta.

## Lo que aprendí de la reproducción

**Reflexiona y argumenta.**

Vuelve a contestar las preguntas que se te plantearon al inicio del tema:

Cuando siembras un frijol y germina se forma una nueva planta pero, ¿sabes qué es la germinación? y ¿qué función tiene?

Tallo

Es probable que hayas visto sembrar tallos que no tienen flores o frutos y después éstos crecen. ¿Conoces alguna planta de este tipo? ¿Qué pasa si siembras el tallo de un geranio o un malvón? Platícalo con tus compañeros y traten de explicar ¿cómo sucede esto?

La caña de azúcar y la papa, se pueden reproducir por reproducción asexual.

Brotes

Raíz (tubérculo)

Flores y semillas

El amaranto y el frijol se reproducen por reproducción sexual.

Semilla

## Reproducción asexual

### Observa, identifica y explica.

En equipos, realicen la siguiente actividad.

**Materiales:**
- Una flor de geranio, malvón o clavel, que no sea blanca, con tallo
- Una cebolla
- Una papa
- Tres frascos de plástico vacíos y limpios
- Dos vasos de vidrio
- Un litro de agua
- Cinco macetas pequeñas o botellas
- Tierra con hojas para maceta
- Una taza o vaso de plástico para medir

Manos a la obra. Viertan aproximadamente una taza de agua en cada frasco de plástico. Corten una hoja, un pedazo de tallo con un nudo y la flor, coloquen cada uno en un frasco con agua. Dejen los frascos en un lugar con luz.

En los siguientes 15 días observen si hay cambios en cada ejemplar: ¿Se estropea? ¿Se modifica su forma? ¿Tiene nuevas estructuras? Anoten en su cuaderno las respuestas.

Si en el ejemplar observan nuevas estructuras, trasplántenlo con mucho cuidado a la maceta con tierra. Dibujen en su cuaderno los cambios que notaron.

Coloquen la papa en un vaso con agua y la cebolla en otro, de tal manera que una parte quede sumergida. Una vez que les salgan raíces, trasplántenlas a las macetas. Dibujen y escriban sus observaciones en su cuaderno. Respondan las siguientes preguntas:

¿Por qué lo que trasplantaron a la maceta tiene vida propia?

_____

¿Cómo intervinieron el androceo y el gineceo para que esto sucediera?

_____

_____

Al sembrar el tallo de un geranio, malvón o clavel en condiciones adecuadas, crece una nueva planta. Muchas plantas pueden reproducirse por medio de los tallos, hojas y raíces. En este tipo de reproducción no hay unión de las células sexuales masculinas con las femeninas, por eso se le llama reproducción asexual. De este modo, un organismo origina otro a partir de una pequeña parte de sí mismo.

## Semejanzas y diferencias entre la reproducción sexual y la asexual

**Argumenta.**

Reproduce en tu cuaderno una tabla como la de la derecha, y escribe en él ejemplos de plantas con sus características y si tienen reproducción sexual o asexual.

Formen equipos y comenten sus respuestas.

| Características | Ejemplos | Reproducción sexual | Reproducción asexual |
|---|---|---|---|
|  |  |  |  |
|  |  |  |  |
|  |  |  |  |

La abeja es un insecto benéfico para los seres humanos por su labor de polinización de las plantas y la producción de miel.

## La reproducción de las plantas y el ambiente

Antes de que se produzca la fecundación, es necesario que el polen sea transportado de una antera al estigma; cuando el polen queda adherido al estigma se produce la fecundación; a este proceso se le llama polinización. Pero si sopla el viento, ¿será fácil que los granos de polen caigan precisamente en el estigma de una flor? ¿Y será fácil que esa flor sea precisamente de la misma especie que la que produjo el polen?

Muchos escarabajos son buenos polinizadores.

La polinización de muchas flores depende de las aves.

Hay miles de flores en la naturaleza que requieren la polinización para producir semillas, y la acción del viento no es suficiente para que ésta se lleve a cabo. Existen muchas especies de insectos y otros animales que viajan de flor en flor para alimentarse del néctar, un líquido dulce que se encuentra en el interior de la flor.

## El polen

### Explica.

En equipos, realicen el siguiente experimento.

### Materiales:
- Dos cucharas con talco
- Doce circulos de confeti de color oscuro

Manos a la obra. En el piso del patio de su escuela peguen los circulitos de confeti a 20 centímetros uno de otro. No importa cómo los acomoden.

Colóquense a dos metros del confeti y soplen con fuerza una de las cucharas con talco en dirección al confeti.

Observen ahora el confeti y contesten las preguntas:
¿El confeti quedó cubierto de talco?

_____

¿Creen que el polen pueda cubrir los estigmas de las flores por la acción del viento? _____

En el mismo sitio desde donde soplaron dejen la otra cuchara con talco. Sin moverla ni soplar ¿cómo podrían cubrir el confeti? Recuerden que pueden moverse y que el talco se adhiere a sus dedos.

Murciélagos polinizando flores de agave.

Cuando los insectos y esos otros animales se alimentan, el polen se adhiere a sus patas, o bien a sus picos o trompas, según sea el caso, y en su búsqueda de más alimento en otras flores, depositan involuntariamente el polen recogido de una flor en el estigma de otra.

Es probable que al realizar la actividad de esta página hayas tomado con tus dedos el talco y caminaras hasta el confeti para blanquearlo. ¿En qué se parece la actividad que realizaste con el trabajo de las abejas?

### Un dato interesante

Existen insectos y murciélagos que se especializan en polinizar determinados tipos de plantas, por ejemplo las orquídeas.

### Reproducción en plantas

**Busca y selecciona información.**

Investiga en libros, revistas e Internet, entre otras fuentes, en qué consisten la polinización, la dispersión de semillas y la germinación. Organiza la información en tu cuaderno en una tabla como la siguiente, y enriquécela con esquemas o dibujos.

Si las semillas producidas por una planta cayeran exactamente debajo de donde surgieron, en ese mismo sitio crecerían tantos individuos que agotarían la tierra del lugar y morirían. ¿Por qué no ocurre así? Piensa en la planta llamada diente de león, que crece en diferentes lugares y rara vez se encuentran varios individuos juntos.

| Proceso | En qué consiste | Dibujo o esquema |
|---|---|---|
| Polinización | | |
| Dispersión de semillas | | |
| Germinación | | |
| | | |

Las semillas del diente de león viajan largas distancias, ya que los filamentos que tienen facilitan su transporte aéreo.

Contesta las siguientes preguntas.

¿Qué es la polinización? _____

_____

¿Cómo se lleva a cabo la reproducción asexual en las plantas?

_____

_____

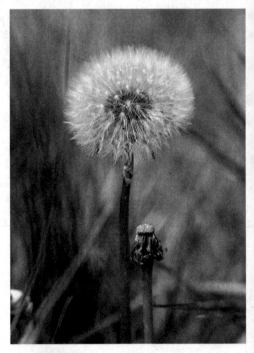

Relaciona las columnas.

1. Órgano sexual femenino        a) pistilo o gineceo

2. Tubo del ovario que se comunica al exterior        b) óvulos

3. Cavidad que contiene a las células sexuales femeninas        c) estilo

4. Células sexuales femeninas        d) ovario

Cuando las piñas del pino se abren, sus semillas aladas se dispersan por acción del viento.

Consulta en...

http://www.nps.gov/archive/grsa/resources/curriculum/elem_sp/lesson26.htm (sobre la dispersión de semillas)

http://cuentame.inegi.gob.mx/SabiasQue/plantas.aspx?tema=S (Plantas que cuidan el agua).

# Reproducción sexual en animales

La reproducción de los animales es principalmente sexual. Para que haya un descendiente, un individuo femenino aporta una célula y el masculino la otra. Con la fecundación comienza el desarrollo de un nuevo ser. Pero, ¿cómo aseguran los animales la supervivencia de sus crías?

Las hembras de reptiles y aves cubren sus células sexuales (los óvulos), con una sustancia resistente para expulsarlas de su cuerpo. Conocemos esas células: son muy grandes, las llamamos comúnmente huevos y a su cubierta resistente cascarón. Si esa célula sexual es fecundada, se desarrollará una cría.

Reproducción sexual (cópula) de jaguares.

Nacimiento de una tortuga.

La serpiente pitón pone huevos al igual que las aves.

Al nacer, la serpiente ratonera rompe la cáscara blanda del huevo.

Algunas especies de serpientes incuban el huevo en el interior de la madre.

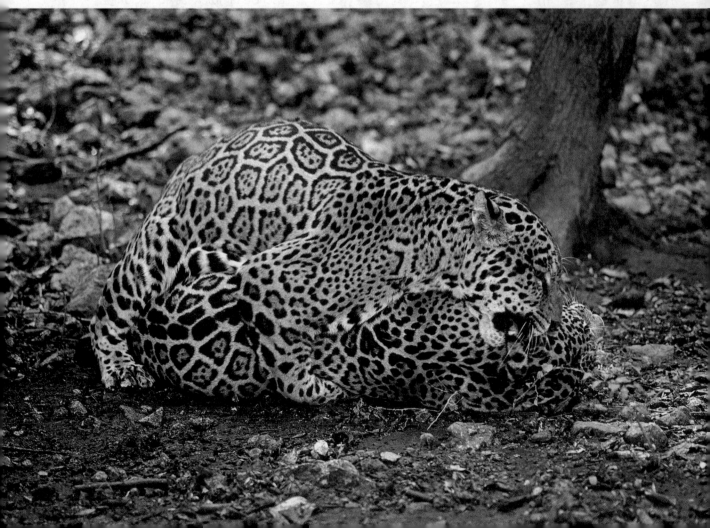

Las hembras de los mamíferos evolucionaron al desarrollar en el interior de su cuerpo el útero y la placenta para proteger y nutrir a sus descendientes en desarrollo. A este proceso se le llama gestación.Después de un tiempo, cuando el nuevo ser está más desarrollado, es expulsado del cuerpo de la madre.

Aunque las aves y los reptiles ponen huevos para tener descendencia, sus estrategias para cuidarlos son muy distintas.

Grupo de delfines con crías en el océano Pacífico.

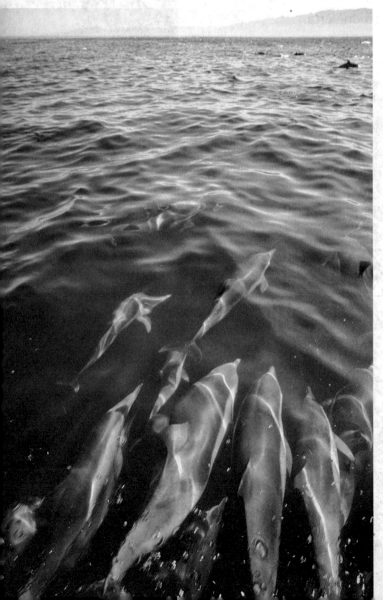

## Incubación

**Busca y selecciona información.**

Elabora en tu cuaderno una tabla como la siguiente y complétala con la información que investigues en libros, enciclopedias, revistas e Internet, entre otros medios, acerca de cómo estas especies cuidan sus huevos, para asegurar el nacimiento de sus crías.

| Organismo | Incubación | Ambiente |
|---|---|---|
| Cocodrilo Tortuga laúd | | |
| Pingüino emperador | | |
| Pájaro cuclillo | | |

Escribe también las condiciones del ambiente que influyen en ese comportamiento. Elabora un reporte de tu investigación y compártelo con tus compañeros.

Vaca y becerro.

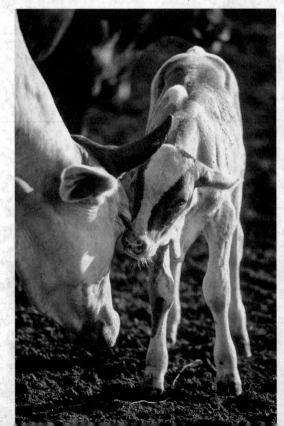

Los reptiles, aves y mamíferos tienen conductas especiales relacionadas con la reproducción. ¿Cómo eligen una pareja? ¿Cómo convencen a la pareja elegida para la reproducción? A este proceso de convencimiento se le llama cortejo. ¿Cómo cuidan a sus descendientes luego de que nacen?

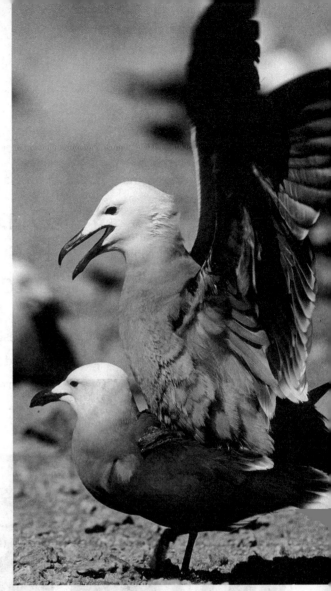

Cópula de gaviotas ploma, Isla Rasa, golfo de California.

## Elección de pareja, cortejo y cuidado de crías

### Busca y analiza información.

En equipos, investiguen en libros, revistas, enciclopedias e Internet, entre otras fuentes, algunas de las interacciones de los animales durante la reproducción: la elección de pareja, el cortejo y el cuidado de sus crías. Escojan tres especies como: guajolote, pingüino emperador, águila real, oso negro, lobo. Si prefieren, elijan otras. Su investigación la pueden presentar en forma de documental, historieta, folleto, presentación por computadora, cartel o video, entre otros recursos.

Presenten el trabajo a sus compañeros y reflexionen sobre la importancia que tienen estas interacciones para favorecer la supervivencia de los animales.

Recuerden que el trabajo que han realizado servirá de referencia al profesor para evaluarlos.

Pareja de pingüinos emperador con sus crías emplumadas, polo sur.

Consulta en...

http://www.rena.edu.ve/SegundaEtapa/ciencias/reproduccionanimales.html

Durante el desarrollo de este tema identificarás las características de los hongos y las bacterias que permiten clasificarlos como seres vivos.

Asimismo, aprenderás a valorar la importancia de los hongos y las bacterias en su interacción con otros seres vivos y el ambiente.

TEMA 2

# Otros seres vivos: los hongos y las bacterias

¿Han escuchado hablar de los hongos y las bacterias? ¿Qué saben de ellos? En clase coméntenlo con su profesor y anoten en su portafolio de ciencias.

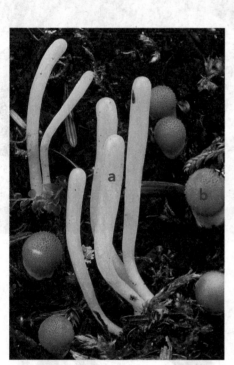

Hongos cabeza de garrote (a) y bejín (b) emergen de una cubierta de musgo.

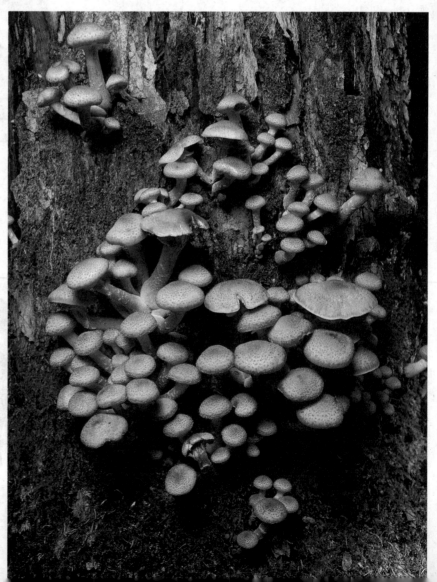

Hongos creciendo sobre un tronco de árbol muerto, al cual descomponen.

## Los hongos y las bacterias

### Busca y selecciona información.

Investiga en libros de la biblioteca escolar, revistas o Internet, las características de hongos y bacterias, su clasificación, los beneficios y riesgos que representan para el ser humano.

Las bacterias y los hongos son seres vivos. El yogur es una mezcla de bacterias llamadas lactobacilos, que producen un ácido con la leche. Las levaduras son un tipo de hongos que ayudan a la fermentación de algunas sustancias. Tanto las levaduras como los lactobacilos son organismos tan pequeños que no pueden verse a simple vista, por eso se les conoce como microorganismos.

En la naturaleza hay hongos de distintos tamaños, desde microscópicos hasta macroscópicos como el champiñón o la seta gigante. Hongos y bacterias son numerosos y se encuentran en casi todas partes, incluso en el cuerpo humano.

Como has podido investigar y observar en la actividad, todos los seres vivos, aun los microscópicos como los hongos y las bacterias, se nutren, respiran, se reproducen y realizan todas sus funciones. Aunque no los puedas ver, sí puedes identificar sus funciones mediante experimentos como los que a continuación realizarás.

## Uso de microorganismos en la elaboración de alimentos

### Experimenta, observa y analiza.

Formen equipos. La mitad del grupo realice el primer experimento y la otra, el segundo. En su cuaderno anotarán sus observaciones y darán respuesta a las preguntas.

#### Materiales:
- Yogur natural
- Leche entera de vaca
- Una cuchara
- Un recipiente con tapa
- Un sobre de levadura en polvo
- 20 cucharadas de azúcar
- Dos botellas de plástico de un litro limpias
- Dos globos medianos
- Agua

### Elaboración de yogur

Manos a la obra. En su cuaderno, describan algunas características de la leche, como color, olor, sabor y consistencia.

Con ayuda de un adulto hiervan la leche y déjenla enfriar. Cuando esté tibia incorporen y mezclen dos cucharadas de yogur natural. Tapen el recipiente y déjenlo en un lugar tibio.

Doce horas después observen de nuevo sus características: ¿Qué le pasó a la leche?

¿Qué pudieron haber hecho las dos cucharadas de yogur con la leche?

### Levadura
Disuelvan 20 cucharadas de azúcar en dos litros de agua y vacíen un litro de la disolución en cada botella. Coloquen un globo en la boca de una de las botellas.

Añadan la levadura en la segunda botella y coloquen también un globo. Dejen pasar dos horas y observen ambas botellas.

Mantengan las botellas durante seis días, y una vez transcurridos observen las botellas.

¿Qué diferencia hay entre las dos botellas? Dibújenlas en su cuaderno.

¿Qué sustancia ocasiona los cambios?

¿Qué produjo el gas?

A partir de estos resultados, ¿podemos suponer que la levadura respira? ¿Por qué?

¿Por qué hay más levadura en la botella el sexto día que el primero?

¿Qué suponen que hace la levadura con el azúcar?

Comenten sus respuestas con el resto del grupo, lleguen a una conclusión grupal y escríbanla en su cuaderno.

## Lo que ocasionan los virus, bacterias, hongos y plagas

### Observa, reflexiona, concluye.

Algunos profesionistas de la salud como enfermeras, doctores, laboratoristas, entre otros, se deben vestir con ropa adecuada, manejar materiales con guantes o pinzas y usar botas o mascarillas especiales, para evitar que virus, bacterias y hongos dañen su salud.

1. Organízate en equipo y realiza el siguiente experimento para demostrar cómo los agentes biológicos se desarrollan al ingresar a tu cuerpo.

### Materiales:
- Un sobre de gelatina sin sabor
- Un cubito de sazonador
- Tres frascos de vidrio con tapa
- Una toalla de papel o toalla de algodón limpia
- Medio litro de agua
- Una cacerola
- Una cuchara

### En casa:

Con ayuda de un adulto desinfecta los frascos y sus tapas metiéndolos en agua hirviendo durante 5 minutos.

Disuelve el cubo de sazonador y el sobre de gelatina en medio litro de agua caliente.

Déjalo hervir durante 10 minutos.

Cuando la mezcla esté a temperatura ambiente, vacíala en cada frasco y mantenlos tapados. Deja que se solidifique la gelatina.

### En la escuela:

Etiqueta los frascos de la siguiente manera:

Frasco 1: Manos aparentemente limpias
Frasco 2: Manos sucias
Frasco 3: Manos recién lavadas

Toca la mezcla del frasco número 1 con tus dedos.

¡Ensúciate las manos bacterialmente!, por ejemplo: toca las suelas de tu zapato, recoge tierra, toca unas monedas o frota tu banca.

Ahora que tienes las manos sucias, toca con tus dedos la gelatina del frasco número 2.

Lávate bien las manos con agua y jabón, sécalas muy bien con la toalla de papel o de algodón y toca la mezcla del frasco número 3.

Tapa bien los frascos y déjalos en un lugar cálido durante 24 o 36 horas.

Durante la siguiente semana observa los cambios de color, olor y textura que tendrá el contenido de los frascos.

Registra en el cuadro siguiente los puntos blancos que aparecen en cada frasco, cada uno es una colonia de bacterias.

Es importante seguir las siguientes medidas preventivas para evitar que los agentes biológicos dañen tu cuerpo:

- Desinfectar lesiones y/o roturas de la piel.
- Evitar tocarse los ojos con manos sucias.
- Curar picaduras, mordeduras, cortes, erosiones, salpicaduras, etc
- Evitar beber o comer de los mismos utensilios que utiliz una persona enferma.
- No beber agua de charcos de riego.
- Desinfectar verduras y fruta

2. Ahora, en el laberinto de la página siguiente, encuentra el camino correcto para llegar a la meta sin sufrir un riesgo por un agente biológico.

Pregunta en casa si alguno de tus familiares, por su trabajo, está expuesto a algún agente biológico y qué hace para protegerse. Recuerda que también existen plantas y animale peligrosos, como alacranes, serpientes y arañas, que por su veneno representan un riesgo. ¡Identifícalos!

| Frasco | Día | | |
|---|---|---|---|
| | Uno | Dos | Tres |
| 1 | | | |
| 2 | | | |
| 3 | | | |

Salida

Meta

los alimentos. Si consumimos los alimentos en estado de descomposición nos causan daño.

También hay hongos y bacterias que si entran a nuestro cuerpo nos pueden causar problemas de salud, como es el caso del pie de atleta o tiña.

Recuerda que no todos los hongos se comen, es importante seguir algunas medidas preventivas. Investiga cuáles son algunas de estas medidas.

## La descomposición de los alimentos

En algunas ocasiones, cuando dejamos un poco de comida fuera del refrigerador, ésta se descompone o se echa a perder. ¿Por qué adentro del refrigerador los alimentos no se descomponen y afuera sí? ¿Qué ocasiona su descomposición?

Los hongos y las bacterias descomponen los restos de comida, de hojas, troncos y de organismos muertos, entre otros; así la materia se reintegra al ambiente. Pero también algunos microorganismos resultan perjudiciales pues pueden descomponer

Hongos que intervienen en el proceso de descomposición de material orgánico.

Durante el desarrollo de este tema explicarás cuál es la dinámica de un ecosistema a partir de algunas de las interacciones que ocurren entre los factores físicos y biológicos.

Asimismo, reconocerás los efectos de las actividades humanas en los ecosistemas a fin de proponer acciones para mantener su estabilidad.

Los manglares se localizan en las lagunas costeras; en ellos se produce una gran cantidad de alimento para diversos seres vivos.

■■ TEMA 3

# Estabilidad del ecosistema y acciones para su mantenimiento

Al prestar atención a una maceta, huerto, el jardín o incluso en el campo ¿te has preguntado qué necesitan los organismos de ese lugar para sobrevivir? Comenta tu respuesta en el grupo y anota las conclusiones en tu cuaderno.

En este tema conocerás algunas relaciones que establecen los organismos con su ambiente.

## El terrario

### Experimenta, observa y analiza.

En equipos realicen la siguiente actividad.

*Materiales:*
- Envase transparente de plástico de 10 litros
- Carbón vegetal
- Grava
- Tierra
- Hojas secas
- Plantas pequeñas como helechos, hiedra o cactos
- Insectos y caracoles vivos
- Agua
- Troncos pequeños
- Piedras pequeñas

Manos a la obra. Con ayuda de un adulto, corten el envase 10 centímetros por debajo de la boca de la rosca.

En el fondo del envase coloquen una capa delgada de carbón en pedacitos, con esto evitarán encharcamientos.

Agreguen una capa de grava, después una de tierra y, por último, las hojas secas. Coloquen dentro las plantitas y cubran las raíces con más tierra y hojas, de tal manera que parezca un jardín pequeño.

Introduzcan los insectos y caracoles, tapen el envase. Han construido un terrario.

Coloquen el terrario en un lugar donde haya luz pero sin que le den directamente los rayos de sol. Destápenlo con frecuencia para ventilarlo o hagan pequeñas perforaciones en la tapa. Abónenlo y riéguenlo dependiendo de las necesidades de los animales y vegetales que están dentro.

En el terrario que acabas de construir existen diferentes especies de animales, plantas, hongos y bacterias; además de condiciones físicas que ayudan a que éstos se mantengan con vida, como el agua, la luz solar y el aire. Este conjunto de seres vivos y componentes físicos pueden mantenerse vivos durante mucho tiempo en el terrario, pues entre ellos establecen relaciones que propician un equilibrio: las plantas alimentan a los animales, éstos al morir nutren a los microorganismos, y las sustancias que estos últimos liberan son aprovechadas por las plantas. Además, el aire, la luz y la temperatura favorecen la supervivencia de todos los organismos.

Algunos componentes del terrario.

# El ecosistema

Un ecosistema es un conjunto de seres vivos (factores biológicos) y condiciones ambientales (factores físicos) relacionados estrechamente y que comparten un determinado lugar. Ejemplos de factores físicos son la luz solar, el suelo, el agua, los nutrimentos, la temperatura y el aire, entre otros.

Cualquier alteración en alguno de los componentes de un ecosistema afecta a todos los demás; por ejemplo, si en el terrario que construiste dejaras de agregar agua, ¿qué pasaría con las plantas? ¿Y si ya no hubiera luz? Algunos animales del terrario se alimentan de plantas, ¿qué pasaría con ellos si ya no tuvieran comida?

## Lo vivo y lo no vivo

### Observa, identifica y explica.

En equipos investiguen el significado de las palabras biótico y abiótico. Luego observen la imagen y señalen cuáles son los factores biológicos y cuáles los físicos.

Factores
abióticos.

Consulta en...

http://www.biodiversidad.gob.mx/ecosistemas/quees.html

http://www.fansdelplaneta.gob.mx/

http://www.greenpeace.org/mexico/es/Campanas/Bosques/

El ser humano utiliza la naturaleza para su desarrollo y progreso, aunque muchas veces lo hace de forma excesiva. Para evitar las alteraciones que ocasiona el uso inadecuado de recursos, es necesario establecer medidas como la veda, es decir, la prohibición temporal o permanente de la captura de animales, como la pesca y la caza, de esta manera se favorece que las especies aprovechadas no corran el riesgo de extinguirse. Otras medidas son rotar los cultivos para que la tierra recupere sus nutrimentos, el empleo de abonos naturales, evitar la tala inmoderada de bosques y reforestar áreas que son explotadas intensamente.

La participación de todos en la preservación de los recursos naturales ayudará a tener una localidad (y un país) más productivo.

## El agua y los ecosistemas

La calidad del agua es vital para los seres vivos presentes en los ecosistemas, la vegetación de cada ecosistema depende de la disponibilidad de agua en forma de lluvia. Las plantas presentan las adaptaciones en su estructura para aprovechar el vital líquido.

En los desiertos la vegetación retiene la poca agua de lluvia o neblina que se presenta; en contraste, la lluvia que se precipita en selvas y bosques es tan abundante que la vegetación deja escurrir una parte.

En los bosques de pino el agua se congela y cae como nieve, escarcha o granizo, así que los pinos tienen hojas con una cubierta que evita su congelación.

Hay ecosistemas con clima seco durante varios meses y lluvia el resto del año, temporada que las plantas aprovechan para crecer, dar frutos y producir semillas, antes de la siguiente sequía.

El agua en forma de lluvia, el granizo, la escarcha, la neblina y la nieve abastecen lagos, ríos, lagunas y mares, mantienen la humedad en bosques, selvas, matorrales, desiertos, tierras de pastoreo, manglares y zonas costeras. Esto favorece la existencia de numerosos seres vivos, muchos de ellos aprovechados por los seres humanos.

En México la lluvia, que es la principal fuente de agua para los usos humanos, se distribuye así: la zona centro y norte es árida o semiárida y recibe poca lluvia, en contraste, los estados del sur y sureste reciben casi la mitad de agua de lluvia; el estado de Baja California recibe menos agua de lluvia y Tabasco es el más lluvioso.

Nubes
sobre el
olcán de
Fuego,
Colima,
México.

Montañas
e Bavaria,
Alemania.

Cascada en
a Huasteca,
San Luís
Potosí,
México.

## Cadenas alimentarias

### Cadenas alimentarias

**Analiza.**

Observa las siguientes fotografías y traza flechas para indicar qué organismo sirve de alimento al otro.

La serie de flechas que acabas de trazar señalando los organismos, representa una cadena trófica o alimentaria, es decir, la ruta del alimento desde un productor hasta un consumidor final, como puedes observar en el siguiente ejemplo:

granos ⟶ ave ⟶ serpiente ⟶ halcón

Los organismos de una cadena trófica pueden ser productores, consumidores o descomponedores.

Gavilán pescador, Isla Partida, golfo de California.

Zopilote rey, ZooMAT, Chiapas, México.

Liebre de California, Isla Tiburón, golfo de California, México.

Monstruo de Gila, desierto de Sonora, México.

Hongos poliporos sobre abedul.

Los organismos productores son las plantas, pues son capaces de producir su propio alimento: con la acción de la energía solar, agua y el dióxido de carbono producen un tipo de azúcar llamado glucosa, que les sirve de alimento.

Musgo.

Moho mucilaginoso sobre madera.

Jaguar, ZooMAT, Chiapas, México.

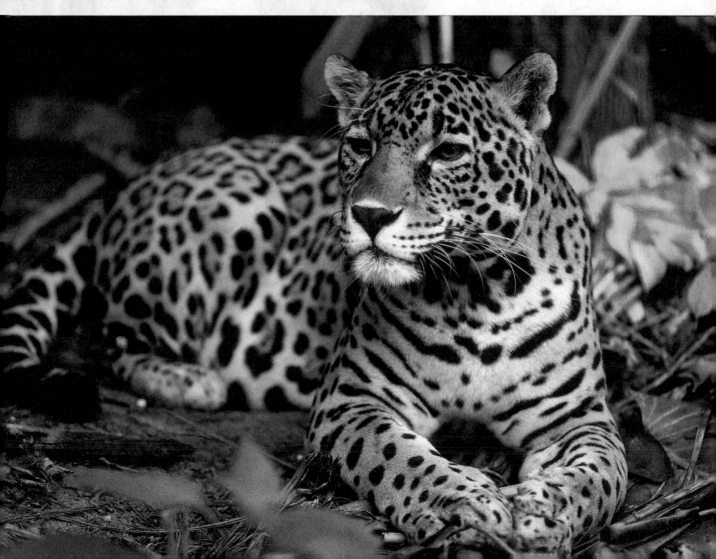

Los organismos consumidores son aquéllos incapaces de producir sus propios alimentos. Se dividen en consumidores primarios, secundarios y terciarios.

Los consumidores primarios o herbívoros son los que se alimentan directamente de las plantas.

Los consumidores secundarios o carnívoros primarios son los que se alimentan de los herbívoros. Los consumidores terciarios o carnívoros secundarios son los que se alimentan de los carnívoros primarios.

Los organismos descomponedores, como su nombre lo indica, son aquellos que descomponen a los organismos muertos para reintegrar la materia al ambiente; son los hongos y las bacterias.

Pájaro carpintero cabecirrojo, reserva de la biósfera Montes Azules, Chiapas, México.

PROYECTO

# Nuestro ecosistema

En este proyecto aplicarán los conocimientos que han adquirido acerca de la estabilidad y regeneración de los ecosistemas, y realizarán acciones concretas para cuidar el ambiente.

Asimismo, seleccionarán y sistematizarán la información obtenida por medio de entrevistas, encuestas y observaciones directas del ecosistema de su localidad y utilizarán diversos medios de comunicación, tales como el periódico mural, folletos y carteles para dar a conocer los resultados de su investigación a la comunidad escolar.

## Planeación

Entre todo el equipo decidan qué proyecto realizarán para contestar una de las siguientes preguntas:

¿Cuáles son las alteraciones que podemos identificar en el ecosistema de nuestra localidad?

¿Cómo podemos participar desde la escuela en la regeneración del ecosistema?

Debe asignarse una labor específica a cada uno de los integrantes; el propósito es que todos cumplan con una función, para que el trabajo en equipo sea organizado y colaborativo. Anota en tu cuaderno los nombres de tus compañeros y cada una de las funciones que deberán cumplir:

| Nombre del integrante | Función del integrante |
| --- | --- |
|  |  |
|  |  |

Macho de venado cola blanca.

# Desarrollo

Para el desarrollo de su proyecto pueden investigar los tipos de ecosistemas que existen en nuestro país y localizarlos en un mapa.

Busquen información de los animales y las plantas que habitan en su localidad.

Investiguen en Internet, libros y revistas sobre los ecosistemas. Las siguientes preguntas pueden guiarlos en su investigación: ¿Cómo influyen los factores ambientales en la existencia de mayor variedad de especies en los ecosistemas? ¿Cómo han cambiado las relaciones entre los factores bióticos y abióticos de los ecosistemas? ¿Qué seres vivos han desaparecido o están en peligro de extinción en México? ¿Por qué es importante cuidar los ecosistemas?

De ser posible visiten una oficina que se dedique al cuidado del ambiente en su localidad y consigan información acerca de qué acciones pueden llevarse a cabo para evitar el deterioro de los ecosistemas.

# Comunicación

Con la información que obtuvieron realicen un artículo ilustrado. Lo pueden hacer en computadora o utilizar materiales de reúso y de fácil adquisición, así como dibujos o recortes de revistas o periódicos que ya no usen sus familiares, vecinos o amigos.

Con la guía de su profesor, lleven a cabo un plan de acción para difundir su trabajo, y las soluciones que proponen para evitar el deterioro de los ecosistemas y la desaparición de especies en México y especialmente en su estado.

Con todos los artículos ilustrados elaboren una revista o gaceta escolar, de esta manera podrán involucrar a la comunidad escolar y a los habitantes de su localidad. También pueden difundir la información en un periódico mural.

# Evaluación

Al realizar este ejercicio podrás conocer tu desempeño en el trabajo en equipo.
Es importante que reflexiones al respecto para mejorar cada vez más.

| | Sí | No | A veces | ¿Cómo puedo mejorar? |
|---|---|---|---|---|
| Expresé mis conocimientos relacionados con la interrelación de los seres vivos en un ecosistema y la importancia de conservarlos. | ○ | ○ | ○ | |
| Busqué, seleccioné y sistematicé información acerca de la interrelación de los seres vivos en un ecosistema y la importancia de conservarlos. | ○ | ○ | ○ | |
| Utilicé diversos medios de comunicación, como textos, esquemas y modelos, para dar a conocer tanto la información como los resultados del proyecto. | ○ | ○ | ○ | |
| Compartí la información y escuché la opinión de los miembros de mi equipo. | ○ | ○ | ○ | |

# Evaluación

Para contestar lo siguiente será necesaria toda tu atención. Concéntrate en cada pregunta y escribe la respuesta en el espacio correspondiente. Verifica con tu profesor y tus compañeros que la respuesta sea la adecuada; si no es así, lee de nuevo la sección del libro donde se encuentra el tema, subraya la respuesta y vuelve a contestar la pregunta.

1. Relaciona las palabras de la izquierda con los conceptos de la derecha:

a) Cáliz
b) Antera
c) Corola
d) Estambre

(   )   Contiene al polen
(   )   Formado por el grupo de pétalos
(   )   Lo forman la antera y el filamento
(   )   Tiene forma de copa y sirve para sostener
y proteger a la flor

2. Menciona una breve descripción de las características de los hongos y bacterias.

_____

_____

3. Contesta brevemente.

a) ¿Cuál es el papel de los hongos y bacterias en la descomposición de alimentos y organismos muertos?

_____

_____

b) Menciona una cadena alimentaria señalando los productores, consumidores y descomponedores.

_____

_____

# Autoevaluación

Es momento de que revises lo que has aprendido en este bloque. Lee cada enunciado y marca con una (√) el nivel que hayas logrado. Así podrás reconocer tu desempeño al realizar el trabajo en equipo y de manera personal.

| | Siempre | Lo hago a veces | Difícilmente lo hago |
|---|---|---|---|
| Explico algunas formas en que las plantas se reproducen y su interacción con otros seres vivos y el ambiente. | ○ | ○ | ○ |
| Reconozco los efectos de las actividades humanas en los ecosistemas, a fin de proponer acciones para mantener su estabilidad. | ○ | ○ | ○ |

¿En qué otras situaciones puedo aplicar lo que aprendí en este proyecto?

_____

_____

| | Siempre | Lo hago a veces | Difícilmente lo hago |
|---|---|---|---|
| Contribuí con información para el trabajo en equipo. | ○ | ○ | ○ |
| Escuché con atención y respeto a mis compañeros. | ○ | ○ | ○ |
| Tomé en cuenta las propuestas de trabajo de mi equipo. | ○ | ○ | ○ |

Me propongo mejorar en:

_____

_____

Ahora dedica unos minutos a pensar en tu desempeño durante este bloque y contesta a las siguientes preguntas:

¿Qué temas se me dificultaron? _____

¿Qué actividades me costaron más trabajo? _____

¿Las pude terminar? _____

¿Qué hice para lograrlo? _____

# ¿Cómo son los materiales y sus interacciones?

ÁMBITOS:

- LOS MATERIALES
- LA TECNOLOGÍA
- EL CONOCIMIENTO CIENTÍFICO

Tres estados
de la materia:
líquido (agua),
sólido (hielo) y
gaseoso (vapor).

El avión deja estelas de humo. Los dos patrones circulares al centro de la imagen (vórtices), son causados por aire que gira desde la punta de los motores del avión. El patrón resultante es conocido como "ángel de humo".

Durante el desarrollo de este tema clasificarás los materiales de uso común de acuerdo con las características de sus estados físicos. También relacionarás los cambios de estado de los materiales con la variación de la temperatura.

Asimismo, describirás el ciclo del agua y lo relacionarás con su importancia para la vida.

TEMA 1

# Características de los estados físicos y sus cambios

## Estados físicos

Si observas a tu alrededor, encontrarás una gran variedad de objetos hechos con diferentes materiales. Reflexiona en lo siguiente: ¿De qué materiales están hechos los objetos que están a tu alrededor? ¿Qué observas en un vaso de agua? ¿Y el aire? Aunque no puedes ver el aire, lo percibes cuando hace viento y sabes que está a nuestro alrededor. ¿Conoces los componentes que tiene el aire? ¿Cuáles son? ¿Cuáles son las características que distinguen a los diferentes materiales que nos rodean?

## Estados físicos de la materia

### Observa y clasifica.

Formen equipos para trabajar.

**Materiales:**

- 100 ml de agua
- 100 ml de miel
- 100 ml de leche
- 100 ml de aceite
- Piedra pequeña
- Moneda
- Trozo pequeño de madera
- 100 g de azúcar
- 100 g de harina
- 100 g de arena
- Globo mediano
- Charola o palangana grande
- Jeringa de 10 ml, sin aguja

Observen con atención las semejanzas y diferencias en las características de cada uno de los materiales.

a) Viertan miel, agua aceite, leche, azúcar, harina y arena uno por uno a la charola o palangana y observen. ¿Cuáles se extienden en la charola y cuáles se acumulan en un solo lugar?

b) A la moneda, piedra y pedazo de madera intenta aplastarlas con las manos. ¿Cambian de forma?

c) Infla el globo. ¿Qué forma tomó? ¿Se puede deformar si lo aplastas?

d) Toma la jeringa, saca el émbolo (que es la parte de plástico negra que empuja el líquido a la salida de la jeringa) y con el pulgar tapa el orificio de salida, ahora coloca el émbolo en su lugar y trata de aplastar al aire que quedó contenido en la jeringa. ¿Qué sucede?

e) Realiza esto último pero metiendo en la jeringa, uno por uno, la miel, leche, azúcar, harina, arena, el agua y el aceite. Lava la jeringa en cada caso y observa lo que sucede con los materiales. ¿Se comprimen?

Anoten sus respuestas en el cuaderno y elaboren una tabla como la de la página siguiente. Tachen la característica que presenta cada uno de los materiales, para lo cual es necesario que consideren lo siguiente:

- Si los materiales no cambiaron de forma se dice que tiene una forma "definida".
- Si los materiales se extendieron uniformemente en la charola se dice que "fluyen".
- Si pudiste reducir de tamaño los materiales, aunque sea momentáneamente, se dice que son "compresibles".

Observen la tabla y con los datos contesten las siguientes preguntas.

¿Qué objetos tienen forma definida, no son compresibles y no fluyen? _____

¿Qué objetos son compresibles? _____

¿Qué objetos fluyen? _____

Forma grupos de materiales de acuerdo con las características que presentan. ¿En cuántos grupos los pudiste separar? _____ ¿Cuáles son estos grupos?

_____

Es probable que hayan llegado a clasificar los materiales en tres grupos diferentes. Comenten sus resultados en el grupo.

| Material | Tiene forma definida | Se esparce en la charola (fluye) | Se comprime | Estado físico |
|---|---|---|---|---|
| Agua | | | | |
| Miel | | | | |
| Leche | | | | |
| Aceite | | | | |
| Piedra | | | | |
| Moneda | | | | |
| Madera | | | | |
| Azúcar | | | | |
| Harina | | | | |
| Arena | | | | |
| Aire | | | | |

Los materiales de que están hechos los objetos tienen distintas características.

## Los sólidos

En la Naturaleza hay algunos materiales que tienen volumen, forma definida, no se pueden comprimir (es decir, no pueden reducir su volumen), y no fluyen. Los materiales con estas características están en estado sólido. ¿Cuáles materiales de la actividad anterior entrarían en esta categoría?

## Los líquidos

Otros materiales tienen volumen definido pero no forma, adquieren la del recipiente que los contiene, no se comprimen ni tienen dureza. Estos materiales se encuentran en estado líquido. ¿Cuáles materiales de la actividad anterior están en este estado?

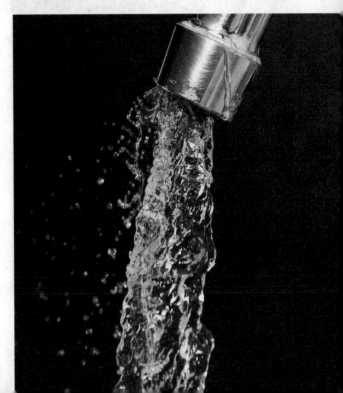

### ¿Líquidos o sólidos?

## Clasifica y argumenta.

Los resultados y el cuadro analizado en la actividad anterior te ayudarán para argumentar y clasificar el estado físico de la harina, el azúcar y la arena. Éstos son materiales que al verterlos de un recipiente a otro parece que fluyen, adquieren la forma del recipiente que los contiene, no oponen resistencia cuando ejerces presión en ellos y probablemente a ninguno lo pudiste comprimir. ¿Los clasificarías como líquidos? Justifica tu respuesta en el cuaderno.

## Los gases

Otro conjunto de materiales se encuentra en estado de gas. No tienen volumen definido y toman la forma del recipiente que los contiene, es decir si el gas es cambiado de recipiente, se expande o se comprime, ocupa y toma la forma del nuevo recipiente.

Los gases son materiales que se comprimen (reducen su volumen), se difunden (se esparcen de manera espontánea), se dilatan (aumenta su volumen al aumentar la temperatura), son elásticos (recuperan su volumen al quitar una presión externa).

**Un dato interesante**

Además de los estados sólido, líquido y gaseoso existe un cuarto estado de la materia en la naturaleza conocido como plasma. Es un estado poco frecuente pero que alguna vez has observado cuando se genera un corto circuito y de manera instantánea salta una chispa. El plasma se puede obtener de manera artificial al calentar un gas a temperaturas muy altas. Aunque en nuestro planeta no abundan los plasmas es posible observarlos durante una aurora boreal y en los rayos de una tormenta eléctrica, mientras que en el Universo visible más del 99% de la materia se encuentra en este estado.

Yodo. Al calentarse se forma un gas.

Dióxido de carbono en estado sólido (hielo seco).

# Cambios en los estados físicos de la materia

Seguramente has metido agua de limón en el congelador y la has visto convertirse en hielo. ¿A qué se debió este cambio? Si camino a la escuela cae una lluvia ligera podemos brincar en algunos charcos, pero de regreso a casa ya no están, pareciera que desaparecieron. ¿Por qué suceden estos cambios? Coméntalo con tus compañeros.

Hielo

Base de lata de refresco

Mitad superior de una lata de refresco, perforada

Lámpara de alcohol

## ¿Los cuerpos cambian?

### Observa.

En equipo realicen la siguiente actividad.

**Materiales:**
- Lámpara de alcohol
- Lata de refresco de 355 ml, limpia
- Tijeras
- Dos cubos de hielo

Manos a la obra. Con ayuda de su profesor, corten la lata de refresco a la mitad. A la mitad superior háganle orificios con las puntas de las tijeras. Esto les servirá de base. Observen la imagen de la izquierda.

Coloquen dentro de la base la lámpara de alcohol y pídanle a su profesor que la encienda.

Pongan los cubos de hielo dentro de la mitad inferior de la lata y colóquenla sobre la base. Observen lo que sucede durante 15 minutos. Anoten sus observaciones.

_____
_____
_____
_____

Al inicio, ¿en qué estado físico estaba el agua?_____

Después de un rato, ¿en qué estado físico se encontró?

_____

Al final de la experiencia, ¿en cuál estado físico se transformó el hielo?_____

¿Por qué ocurre ese cambio?

_____

Algunos materiales pueden cambiar de estado
físico. Por ejemplo, el hielo cambia de estado sólido
a líquido, es decir, se funde. Cuando el agua hierve
pasa del estado líquido al gaseoso, esto sucede
aproximadamente a los 100 °C, que es el punto de
ebullición del agua.

Mantequilla pasando
del estado sólido
al líquido.

Los puntos de fusión y ebullición son distintos para
cada material, por ejemplo, el punto de fusión de la
mantequilla es aproximadamente 38 °C, mientras que
el de la parafina de una vela es de 60 °C.

En la actividad anterior observaste el cambio de
estado del agua: de sólido a líquido y de líquido a
gaseoso. Se trató del mismo material pero en los tres
estados físicos.

Punto de fusión.
La parafina de la vela
cambia del estado
sólido al estado líquido.

# Ciclo del agua

Mirar el cielo puede ser muy divertido, hay nubes que semejan figuras y las hay grandes y pequeñas. ¿Sabes cómo se forman las nubes?

En ocasiones, al ver el aspecto y color de las nubes podemos anticipar que lloverá. ¿Por qué llueve?

Cirrus o cirro, un tipo de nube compuesta de cristales de hielo y caracterizada por bandas delgadas y finas.

## El agua y sus estados físicos

**Observa, analiza y explica.**

En parejas analicen la siguiente imagen, discutan respecto a qué le sucede al agua, posteriormente con la supervisión de su profesor, en plenaria elaboren una conclusión.

*Cumulus* o cúmulo, nube de apariencia algodonosa.

Evaporación

Escurrimiento

Océano

Condensación

Precipitación

Precipitación de nieve

Lluvia

Infiltración

Acuífero

Nacimiento de un manantial

Lago

Río

El movimiento del agua alrededor del planeta es el ciclo del agua o ciclo hidrológico, por ello la encontramos en la Naturaleza en cualquiera de los tres estados físicos.

El agua de océanos y lagos se evapora. El vapor sube a la atmósfera y se condensa en diminutas gotas de agua, dando origen a las nubes. Cuando esas pequeñas gotas se enfrían, se condensan (se unen y forman otras más grandes) y su peso las hace caer como lluvia, pero si se enfrían de manera muy rápida, se solidifican y caen como nieve o granizo.

Una parte del agua de lluvia que cae, se infiltra en la tierra y reabastece los mantos acuíferos (reserva de agua dulce que está a unos centímetros de la superficie terrestre o a varios metros de profundidad) y manantiales, otra parte de la lluvia forma los arroyos y ríos. El agua que fluye en los ríos puede estancarse en un valle y formar lagos o descender hasta los océanos. Así comienza nuevamente el ciclo.

Cenotes en la Península de Yucatán. Los cenotes son un ejemplo de filtración y escurrimiento de agua.

El ciclo del agua es un proceso importante porque la mantiene en constante circulación. Esto contribuye a la humedad del ambiente y permite que los organismos se mantengan vivos. Además, la humedad regula la temperatura y es un factor del clima.

Al recorrer el ciclo, el agua se purifica. Sin embargo el ciclo también se altera debido a las actividades humanas que por una parte contaminan el agua, y por otra, la sobreexplotan para cubrir las necesidades de una población que crece, lo cual hace este líquido cada vez más escaso.

## ¿Cuánta agua nos queda?

**Investiga y reflexiona.**

El agua es un recurso natural indispensable para la vida en la Tierra. Durante la infiltración el agua se purifica y vuelve potable. Los seres humanos la utilizamos en actividades como lavar, cocinar, o asearnos. En equipo investiguen en libros e Internet la cantidad de agua apta para consumo humano, los cuerpos de agua existentes y las actividades y conductas que causan su contaminación. Reflexionen y contesten: ¿Qué medidas proponen para cuidar este recurso?

Para que el ciclo del agua se mantenga en funcionamiento es importante disminuir el impacto de nuestras actividades sobre los ecosistemas terrestres y acuáticos. El agua es fundamental en todos los ecosistemas, de ella dependen los seres vivos que los habitan y de ellos dependemos los seres humanos.

**Consulta en...**
http://www.conagua.gob.mx
http://www.semarnat.gob.mx/informacionambiental/documents/sniarn/pdf/yelmedioambiente/o_indice_presentacion.pdf(Capítulo 4).

Muro romano.
Representación de
naturaleza muerta con aves,
hongos, frutas y peces.

Durante el desarrollo de este
tema reconocerás algunos
factores que influyen en la
cocción y descomposición de
los alimentos.

Asimismo, describirás algunas
aportaciones de la tecnología
y su desarrollo histórico en la
preparación y conservación de
los alimentos.

# La cocción
# y descomposición
# de los alimentos

En la antigüedad el ser humano descubrió por
accidente las ventajas de cocer los alimentos;
quizá por descuido dejó una pieza de carne cerca

del fuego y después de un rato, al probarla, descubrió que su sabor era mejor, que tenía una consistencia más suave y era más fácil de digerir que la carne cruda.

Cuando los alimentos son sometidos al calor, sus propiedades cambian. A esta acción se le conoce como cocción.

**La cocción de los alimentos**

**Reflexiona y concluye.**

Reúnete con tu equipo de trabajo y comenten para qué sirve cocinar los alimentos. Luego escriban en su cuaderno su conclusión.

Desde hace 200 000 años, el ser humano utiliza el fuego para cocinar sus alimentos.

Ingredientes típicos de la cocina maya: hojas de chaya, calabaza, chile xcatic, achiote y epazote.

## Un dato interesante

Para mejorar el sabor de sus alimentos, los distintos grupos humanos han ido agregando ingredientes que se encuentran en el lugar donde habitan. Por ejemplo, se tiene registro de que en el antigüo Imperio Romano había personas que se dedicaban a preparar nuevos platillos para agasajar al emperador. En la actualidad, la manera de preparar los alimentos es una peculiaridad cultural de cada país.

Los alimentos cocinados son más apetitosos, la manera de prepararlos es parte de nuestra cultura, la importancia de la cocción de los alimentos, desde el punto de vista de las ciencias naturales, radica en que las propiedades de éstos cambian durante el proceso.

El freir es una manera de cocinar los alimentos.

Huevos crudos.

Huevo cocido.

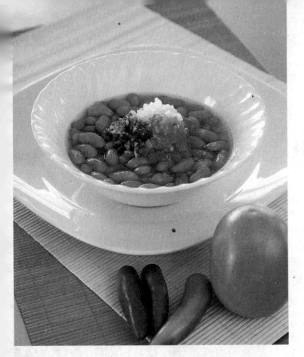

## La transformación de los alimentos

**Observa y analiza.**

Ayuda a tus padres a cocinar, observa e identifica las propiedades de los alimentos crudos, como color, olor, sabor y consistencia, y compáralas con sus propiedades después de cocidos. Sugerimos alimentos como huevo, carne, verduras y leguminosas. No pruebes la carne cruda.

Organiza tu información en el siguiente cuadro.

| Alimento | | Color | Olor | Sabor | Consistencia |
|---|---|---|---|---|---|
| Huevo | Crudo | | | | |
| | Cocido | | | | |
| Carne | Cruda | | | | |
| | Cocida | | | | |
| Verduras | Crudas | | | | |
| | Cocidas | | | | |
| Leguminosas | Crudas | | | | |
| | Cocidas | | | | |

Cochinita pibil cocinada en hojas de plátano, acompañada de plátano macho frito y cebolla morada.

Como habrás descubierto en la actividad anterior, cuando los alimentos se cuecen adquieren características diferentes a las originales; cambian, por ejemplo, su color, olor o sabor. Esto lo puedes percibir con tus sentidos, sin embargo, no es lo único que cambia. Muchos de los componentes de los alimentos se transforman; los nutrimentos como las proteínas que utilizamos para reparar el organismo y crecer, o como los azúcares que nos dan energía, son más fáciles de digerir y los aprovechamos mejor.

La cocción no es el único proceso por el cual se transforman los alimentos. A nuestro alrededor existen muchos organismos que pueden descomponer los alimentos. ¿Cómo podemos retardar su descomposición?
Reflexiona y platícalo en el grupo.

## Caldo de cultivo

### Experimenta, observa y analiza.

Trabajen en equipo y con la ayuda de su profesor.

### Materiales:
- Dos litros de caldo natural de res o pollo, colado
- Seis frascos de aproximadamente 300 ml, de vidrio, con tapa y esterilizados (hervidos en agua)
- Una parrilla eléctrica
- Una olla pequeña
- Seis etiquetas

Manos a la obra. Etiqueten sus frascos: dos con el número 1, dos con el número 2 y dos con el número 3.

Viertan en la olla una tercera parte del caldo y caliéntenla durante 5 minutos en la parrilla. Con mucho cuidado, vacíen el caldo caliente en cantidades iguales en los dos frascos marcados con el número 1 y ciérrenlos bien.

Ahora viertan en la olla la mitad del caldo restante y caliéntenla durante 10 minutos. Vacíen el caldo caliente, con precaución, en los frascos marcados con el número 2 y ciérrenlos bien.

Calienten la última porción de caldo durante 15 minutos y vacíenla en los frascos marcados con el número 3, de la misma manera que lo hicieron con los otros frascos.

Manténganlos en un lugar fresco y, conforme se vayan enfriando, escriban en las etiquetas: "refrigerado" en uno de los frascos de cada par, y "no refrigerado" en los otros tres (observa las imágenes). Expongan al Sol los que dicen "no refrigerado" y metan los otros al refrigerador. Si no tienen refrigerador, pídanle a alguna persona o a su profesor que les ayude, recuerden que también existen varias opciones como una hielera. Observen los frascos diariamente durante una semana. Hagan en su cuaderno un cuadro como el siguiente y registren los cambios en la apariencia de las diferentes muestras.

Calentados 5 minutos.

Día 1.

Calentados 10 minutos.

Día 1.

Calentados 15 minutos.

Día 1.

| Recipiente | Tiempo de calentamiento (minutos) | Observaciones | | | | | |
|---|---|---|---|---|---|---|---|
| | | Día 0 | Día 1 | Día 2 | Día 3 | Día 4 | Día 5 |
| 1 no refrigerado | 5 | | | | | | |
| 1 refrigerado | 5 | | | | | | |
| 2 no refrigerado | 10 | | | | | | |
| 2 refrigerado | 10 | | | | | | |
| 3 no refrigerado | 15 | | | | | | |
| 3 refrigerado | 15 | | | | | | |

La refrigeración retarda la descomposición de los alimentos.

Analicen el contenido del cuadro que elaboraron durante la semana y contesten las siguientes preguntas.

¿Todas las muestras cambiaron?

_____

¿Cuáles de ellas consideran que no se pueden consumir? ¿Por qué?

_____

_____

En las muestras que no fueron refrigeradas, ¿cómo consideran que influyó el tiempo de calentamiento en la conservación del alimento?

_____

Describan las diferencias que observaron entre las muestras refrigeradas. ¿A qué las atribuyen?

_____

Ahora comparen las muestras marcadas con el mismo número. ¿Cómo influyó la refrigeración en la conservación de las muestras?

_____

_____

Comparen sus respuestas con las de sus compañeros. Entre todo el grupo analicen cómo la cocción y la refrigeración ayudan a la conservación de los alimentos. Escriban sus conclusiones.

_____

_____

_____

_____

# La conservación de los alimentos

Al cocinar los alimentos se eliminan muchos microorganismos que los descomponen, por eso un alimento cocido se conserva en buen estado más tiempo que uno crudo.

Los microorganismos disminuyen su actividad a bajas temperaturas, por ello cuando almacenamos los alimentos en el refrigerador su descomposición se retrasa.

Tiradero de refrigeradores, British Columbia, Canadá.

Sustitución de refrigeradores en un centro de acopio. Programa para la sustitución de refrigeradores viejos de la Secretaría de Energía (SENER).

Mario Molina (1943), químico mexicano, ganador del Premio Nobel.

## Un dato interesante

Uno de los primeros dispositivos para conservar los alimentos consistió en dos cajas de madera, una dentro de la otra. A la caja interior se le colocaba nieve y dentro de ella se depositaban los alimentos, por esta razón, en algunos lugares, a los refrigeradores se les conoce como neveras.

Los primeros refrigeradores se inventaron en 1927 y funcionaban con una tubería interna por la que circulaba un gas enfriador, llamado freón. En la década de los setenta del siglo pasado, los químicos Mario Molina (mexicano) y Sherwood Roland (estadunidense), después de un trabajo de investigación, concluyeron que el freón es un compuesto que, al llegar a la atmósfera, destruye la capa de ozono (capa de la atmósfera que entre otras funciones protege a los seres vivos de los rayos solares, entre ellos los ultravioleta). Por este trabajo les otorgaron el premio Nobel de química en 1995. Actualmente, los refrigeradores usan otros gases más amigables con el ambiente.

Todos los alimentos se descomponen, unos más rápido que otros. Las enzimas (proteínas especiales que ayudan en los procesos químicos y biológicos de los seres vivos) y los microorganismos producen la descomposición al intervenir en procesos físicos y químicos que transforman las sustancias que componen los alimentos. Los métodos de conservación hacen más lenta la descomposición y podemos mantenerlos por más tiempo en condiciones adecuadas para su consumo.

Luis Pasteur (1822-1895).

## Un dato interesante

En la actualidad es común encontrar en el mercado jugos, leche e incluso vinos y cervezas con la leyenda "Pasteurizado". Este método de conservación consiste en elevar la temperatura del producto entre los 60 y 140 °C y luego bajarla muy rápido. El cambio brusco de temperatura elimina o reduce los microorganismos, de tal manera que los alimentos se conservan por más tiempo.

El nombre "pasteurización" deriva del apellido del científico que descubrió este método, el francés Luis Pasteur (1822-1895).

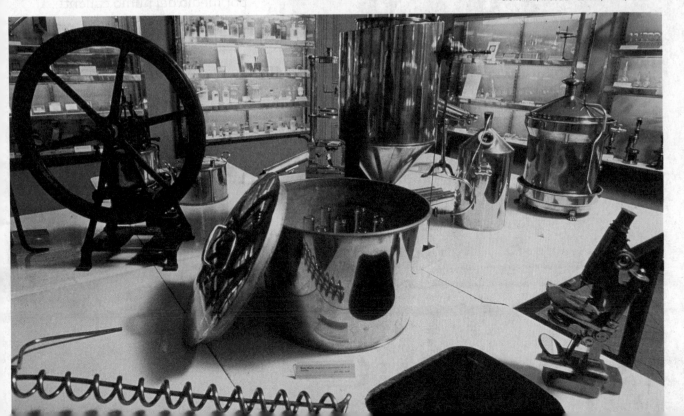

Laboratorio donde se experimentó con la pasteurización. Galería de exhibición científica, Museo Pasteur, París, Francia.

La pasteurización permite conservar los alimentos.

Bebidas pasteurizadas: cerveza, leche y vino.

Las diferentes maneras de conservación de alimentos que se conocen actualmente, provienen del saber popular y del conocimiento científico y tecnológico. Cada una de ellas ha ofrecido a los seres humanos la posibilidad de mantener los alimentos frescos y saludables, o almacenarlos para consumirse después. Por ejemplo, para conservar la carne se han usado técnicas como el ahumado.

Aunque no se conoce con exactitud cuándo se comenzó a usar el ahumado, se sabe que es una técnica antigua consistente en una cocción lenta. Se lleva a cabo colgando los alimentos arriba del ahumador, para que pierdan su humedad y se cuezan lentamente por medio del humo caliente.

Chiles secos.

Carne conservada por el proceso de ahumado.

## Un dato interesante

En la época en que fue realizada la obra de la derecha, no se había descubierto la aplicación de la electricidad en aparatos electrodomésticos ni existían los refrigeradores, por tanto, el ahumado era un método muy utilizado para conservar la carne. Este cuadro se encuentra en la ciudad de Ámsterdam.

*Cocina*, Alejandro de Loarte, 1623, Museo Nacional de Amsterdam, 100 x 122 cm.

Uvas y ciruelas frescas.

Uvas y ciruelas deshidratadas (frutos secos).

Charales pequeños. Son peces salados y secados al Sol.

## Los métodos de conservación de alimentos

### Investiga y reflexiona.

En equipo, pregunten en sus hogares qué métodos de conservación de alimentos conocen. Investiguen en libros e Internet desde cuándo se tiene registro de que se utilizan esos métodos. Busquen el año aproximado si no existe el dato exacto. Con esa información elaboren una línea de tiempo ilustrada, en la que ordenen cronológicamente los métodos de conservación de alimentos.

# La conservación de los alimentos

Es probable que en el lugar donde vives se usen técnicas para conservar alimentos. En este proyecto investigarás acerca de estas técnicas y las llevarás a cabo. Trabaja en equipo para realizar esta propuesta.

## Planeación

Decidan cuál método de conservación de alimentos desean realizar, qué necesitarán y cuánto tiempo les llevará cada actividad. Recuerda usar ropa adecuada y limpia como un mandil para cocinar y evitar que virus, bacterias y otros microbios dañen tu salud. Investiguen en diferentes fuentes como libros, revistas, Internet, o pidan orientación a su profesor.

El siguiente cronograma les puede ayudar a planear su proyecto y delimitar el tiempo que les tomará efectuar cada tarea.

| Tarea | Tiempo que le dedicarán |
|---|---|
| Investigar en libros, enciclopedias e Internet | |
| Preparar el método de conservación elegido. | |
| Conseguir el material | |
| Realizar las medidas preventivas para evitar la presencia de agentes biológicos | |
| Presentar el proyecto ante el grupo | |

## Desarrollo

En los siguientes párrafos les sugerimos una propuesta para su proyecto. Preséntenselo a su maestro y entre todos revisen las posibilidades de realizarlo.

## Producto sugerido: orejones

El proceso de deshidratación es otra manera de conservar los alimentos. Los orejones son fruta deshidratada. Como su elaboración es muy sencilla, se pueden hacer en casa.

### Materiales:
- Dos manzanas
- Dos peras
- Una malla mosquitera de 35 x 25 cm
- Una charola para hornear de 30 x 20 cm
- Un litro de agua
- Un limón
- 10 servilletas de papel
- Un recipiente de plástico de un litro y de boca ancha

Antes de manipular los alimentos deben lavarse bien las manos.

Laven y desinfecten las frutas y pélenlas, quítenles las semillas y córtenlas en rebanadas delgadas. Agreguen el jugo del limón al agua y sumerjan en ella las rebanadas, luego sáquenlas del agua y séquenlas con las servilletas.

Coloquen las rebanadas en la charola, dejando espacio entre ellas. Cúbranlas con la malla, cuidando de que ésta no toque la fruta.

Coloquen la charola a la luz solar durante varios días, hasta que la fruta esté seca.

## Comunicación

Al presentar su proyecto pueden dar a probar las frutas deshidratadas a sus compañeros de clase, expliquen cómo las hicieron y el tiempo aproximado que se pueden conservar. Recuerda que debes evitar comer en los mismos utensilios en los que se prepararon las frutas deshidratadas.

## Evaluación

Al realizar este proyecto podrás conocer tu desempeño en el trabajo en equipo. Es importante que reflexiones al respecto para mejorar cada vez más.

| Actividad | Sí | No | A veces | ¿Cómo puedo mejorar? |
|---|---|---|---|---|
| Escuché y valoré las opiniones de mis compañeros de equipo. | ○ | | ○ | |
| Colaboré para que el proyecto se llevara a cabo como se planeó. | ○ | | ○ | |
| Propuse soluciones para realizar el proyecto. | ○ | | ○ | |
| Investigué en diferentes fuentes de consulta. | ○ | | ○ | |
| Hice críticas constructivas a las aportaciones de mis compañeros de equipo. | ○ | | ○ | |
| Realicé las actividades que me fueron asignadas. | ○ | | ○ | |
| Aporté ideas creativas y útiles para realizar el proyecto. | ○ | ○ | ○ | |

# Evaluación

Para contestar lo siguiente será necesaria toda tu atención. Concéntrate en cada pregunta y escribe la respuesta en el espacio correspondiente. Verifica con tu profesor y tus compañeros que la respuesta sea la adecuada; si no es así, lee de nuevo la sección del libro donde se encuentra el tema, subraya la respuesta y vuelve a contestar la pregunta.

1. De acuerdo con lo revisado en este bloque escribe el estado físico de los siguientes materiales:

   1. Arena _____

   2. Aire _____

   3. Aceite _____

2. Completa los siguientes enunciados.

   Al calentar mantequilla, ésta pasa del estado _____ al _____ y a este proceso se le llama _____.

   Dentro del ciclo del agua podemos observar los tres estados de la materia, relaciónalos.

   La evaporación sucede en el ciclo del agua, cuando _____

   La solidificación se aprecia en el ciclo del agua, cuando _____

   La fusión se observa en el ciclo del agua, cuando

3. Lee lo siguiente.

   Gustavo y Humberto, dos buenos amigos, salen de excursión en un viaje que durará tres días. Humberto lleva carne seca y salada, mientras Gustavo lleva un litro de leche ultrapasteurizada.

   ¿A cuál de los dos amigos se le descompondrá más pronto su alimento?

   _____

   En caso de ir de excursión, ¿cuál de los dos alimentos hubieras seleccionado tú y por qué?

   _____

# Autoevaluación

Es momento de que revises lo que has aprendido en este bloque. Lee cada enunciado y marca con una (√) el nivel que hayas logrado. Así podrás reconocer tu desempeño al realizar el trabajo en equipo y de manera personal.

| | Siempre | Lo hago a veces | Difícilmente lo hago |
|---|:---:|:---:|:---:|
| Reconozco los estados físicos de los materiales que utilizo. | ○ | ○ | ○ |
| Relaciono los cambios de estado físico de los materiales con la temperatura. | ○ | ○ | ○ |
| Describo el ciclo del agua y explico su importancia. | ○ | ○ | ○ |
| Entiendo por qué se deben cocinar los alimentos. | ○ | ○ | ○ |
| Explico cómo se pueden conservar algunos alimentos. | ○ | ○ | ○ |

¿En qué otras situaciones puedo aplicar lo que aprendí en este proyecto?

_____

_____

| | Siempre | Lo hago a veces | Difícilmente lo hago |
|---|:---:|:---:|:---:|
| Participé de manera colaborativa en las actividades del proyecto. | ○ | ○ | ○ |
| Expresé curiosidad e interés en plantear preguntas y buscar respuestas para el proyecto. | ○ | ○ | ○ |

Me propongo mejorar en:

_____

_____

Ahora dedica unos minutos a pensar en tu desempeño durante este bloque y contesta las siguientes preguntas:

¿Qué temas se me dificultaron? _____

¿Qué actividades me costaron más trabajo? _____

¿Las pude terminar? _____

¿Qué hice para lograrlo? _____

# ¿Qué efectos produce la interacción de las cosas?

ÁMBITOS:
- EL CAMBIO Y LAS INTERACCIONES
- EL AMBIENTE Y LA SALUD
- EL CONOCIMIENTO CIENTÍFICO

Chihuahua, México.

urante el
esarrollo de este
ema elaborarás
onclusiones acerca
el cambio en la
rayectoria de la luz al
eflejarse o refractarse
en algunos materiales.

Asimismo, explicarás
algunos fenómenos del
entorno a partir de la
eflexión y la refracción
de la luz.

La parte inferior del pez aparece distorsionada por el efecto de la refracción de la luz.

La imagen del pescador se refleja en el lago.

# Reflexión y refracción de la luz

## Reflexión de la luz

Cuando te paras frente a un espejo puedes mirarte en él. Pero éste no es el único objeto en el que puedes ver tu imagen reflejada, también ocurre en ventanas o puertas de vidrio, en la superficie del agua y en burbujas de jabón. ¿Dónde más se refleja tu imagen? ¿Qué es lo que hace que se refleje tu imagen sobre esas superficies?

102

BLOQUE IV

## ¿Cómo se refleja la luz?

### Observa, interpreta y explica.

Lleva a cabo las siguientes experiencias con tu equipo de trabajo.

**Materiales:**

- Cartulinas, papel, cartoncillo o tela de color negro
- Cinta adhesiva
- Una linterna
- Un espejo de 30 x 30 cm
- Tres hilos de 2 m cada uno
- Una hoja de papel
- Una lámina u hoja de aluminio de 30 x 30 cm
- Una botella de vidrio y una de plástico
- Dos tubos de cartón
- Un transportador

Espejo

Hilo

Rayo reflejado

Rayo incidente

Tubo del observador

Tubo

Lámpara

Con el transportador medimos los ángulos de incidencia y de reflexión.

Manos a la obra. Tapen las ventanas de su salón con el papel o la tela de color negro para que quede oscuro.

Coloquen el espejo en forma vertical, sobre la mesa o escritorio.

En el centro de la base del espejo peguen con cinta adhesiva uno de los extremos de los tres hilos.

Dos de los integrantes del equipo sujetarán cada uno de los extremos de dos hilos para formar una V. El tercer hilo quedará al centro sujetado por un alumno, quien deberá mantenerlo tenso en un ángulo de 90° respecto al espejo.

Mantengan todos los hilos tensos sobre la superficie de la mesa.

Prendan la lámpara y dirijan la luz hacia el espejo, siguiendo uno de los hilos que forman la V.

El otro hilo muévanlo hacia la luz que sale del espejo.

Con el transportador midan el ángulo que se forma entre la línea del centro y la luz que llega al espejo y el ángulo que forma la luz al salir del espejo. Registren los resultados en la siguiente tabla.

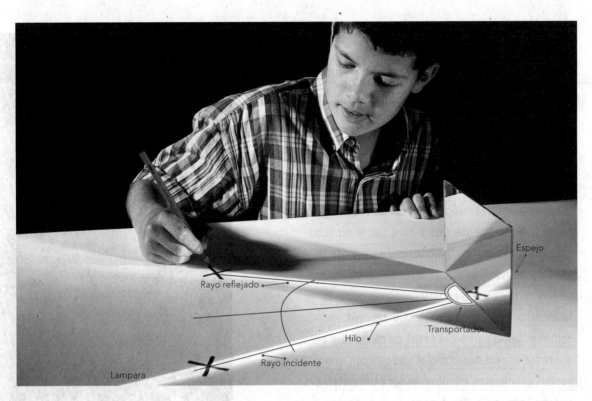

| Material | Ángulo de llegada | Ángulo de reflexión |
|----------|-------------------|---------------------|
| Espejo | 1 | |
| | 2 | |
| | 3 | |
| Papel | | |
| Aluminio | | |
| Plástico | | |
| Vidrio | | |

Abran y cierren el ángulo que forma la V y mídanlo en cada caso, con el transportador como en el caso anterior.

Comparen los datos de sus mediciones con el espejo. ¿Cómo son? _____

_____

Hagan lo mismo con la hoja de papel, la lámina de aluminio y las botellas de plástico y vidrio (recuerda sustituir cada uno por el espejo) y completen en la tabla los ángulos de llegada y de salida.

Comparen las medidas de los ángulos registrados.

Contesten las siguientes preguntas:
¿En qué objetos la luz se comportó igual? _____

_____

¿En cuáles no? ¿Por qué?_____

Observen a su alrededor e identifiquen en qué otros objetos puede suceder lo mismo que ocurrió en el espejo. ¿Qué características tienen esos objetos?

_____

_____

_____

_____

## Un dato interesante

La fibra óptica consta de un conjunto de filamentos de material transparente, vidrio o plástico, flexible y tan pequeño como un cabello humano. Es resistente a cambios en la temperatura, la humedad, el calor o el frío. Consta de dos tubos, uno interno donde se transmite información en forma de luz, que se refleja totalmente una y otra vez y un tubo externo que recubre los filamentos y evita la pérdida de luz. Las fibras ópticas se utilizan ampliamente en telecomunicaciones como la televisión, el Internet, para uso decorativo como la iluminación del árbol de navidad y en aparatos especiales como el endoscopio que permite al médico cirujano observar dentro del cuerpo humano algún órgano, mediante una pequeña abertura.

Fibra óptica.

Fibra óptica utilizada en medicina.

La luz es una forma de energía. Gracias a ella puedes ver tu imagen reflejada en un espejo, en la superficie del agua o en un piso muy brillante. Esto se debe a un fenómeno llamado reflexión de la luz. La **reflexión** ocurre cuando los rayos de luz que inciden en una superficie chocan en ella se desvían y regresan al medio del que salieron formando un ángulo igual al de la luz incidente, como se muestra en la figura siguiente.

Los espejos reflejan la mayor parte de la luz incidente.

Normal

Ángulo de incidencia

Ángulo de reflexión

Rayo incidente

Rayo reflejado

Espejo

Reflexión de la luz.

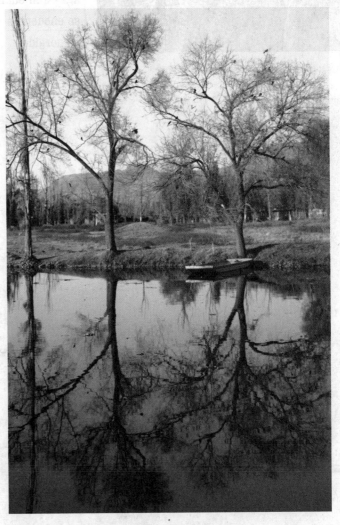
Reflejo de árboles sobre un lago.

Todos los materiales reflejan la luz en mayor o menor proporción de acuerdo con sus características, nosotros percibimos la luz reflejada en ellos y por eso podemos verlos.

Los espejos reflejan la mayor parte de la luz incidente; los objetos opacos como la moneda, la madera y el plástico reflejan poca luz. ¿Por qué es más difícil ver los objetos en la noche que en el día?

Espectadores con periscopios, 1939, Londres.

## Un dato interesante

El fenómeno de la reflexión de la luz se aplica en el periscopio un tubo que tiene espejos en su interior. Con este instrumento, la tripulación de un submarino que navega en el mar puede ver lo que sucede por encima de la superficie del agua aun cuando se encuentre sumergido.

Luz entrante

Espejo

Observador

Funcionamiento del periscopio

Espejo

Luz reflejada

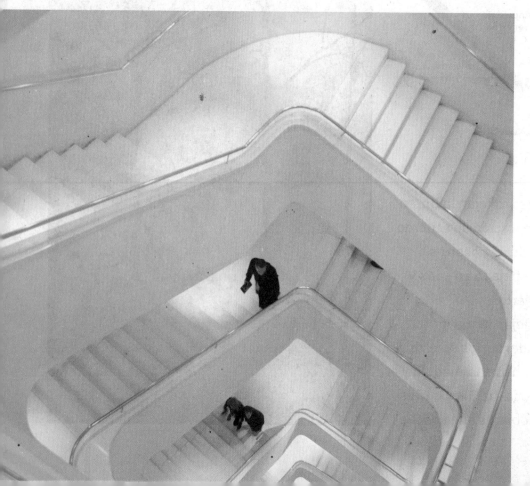

Submarino, Louisville, Estados Unidos de América.

## Un dato interesante

Es conveniente pintar con colores claros las paredes de los espacios interiores porque así reflejan más la luz que si se pintaran con un color oscuro. De esa manera se reduce un poco el consumo de electricidad, ya que se aprovecha durante más tiempo la luz natural.

El color blanco refleja más luz, en cambio el color negro la absorbe.

# Refracción de la luz

Observa las siguientes imágenes.
¿Alguna vez has notado que parece que
se acortan las piernas de una persona
parada en una alberca? ¿Por qué
sucede esto?

Una gota de agua es un lente
natural que refracta la luz y
distorsiona la imagen.

La gota de agua hace la función de un
lente de aumento.

Los barrotes de la silla
se distrosionan a través
deJ agua por efecto de la
refracción.

La imagen se corta por
efecto de la luz.

### ¿Se corta el lápiz?

**Observa, describe e interpreta.**

Formen equipos para trabajar.

*Materiales:*
- Vaso transparente de vidrio
- Dos lápices
- Agua

Manos a la obra. Viertan agua en el vaso hasta la mitad de su capacidad e introduzcan uno de los lápices. Sostengan el otro lápiz fuera del vaso en la misma posición que el que está dentro del vaso.

Obsérvenlos con atención desde diferentes ángulos y contesten las siguientes preguntas.

¿Cómo se ve la parte del lápiz que está dentro del agua y la que está fuera? _____

_____

¿Qué diferencia notan respecto del lápiz que está fuera del vaso? _____

_____

Dibujen en su cuaderno todas sus observaciones.

Los lápices que se muestran en la imagen atraviesan un medio gaseoso y uno líquido, y por efecto de la refracción de la luz pareciera que están cortados.

Los binoculares amplían la imagen de los objetos distantes.

Cuando los rayos de luz inciden sobre la superficie de un cuerpo transparente, por ejemplo el agua, una parte de ellos se refleja, mientras que la otra se refracta. La refracción es el cambio de dirección que toman los rayos de luz al pasar de un medio a otro, del gaseoso al líquido. Al introducir un lápiz a un vaso con agua, parece que se dobla o se corta, porque los rayos de luz se desvían, ya que viajan más lento al pasar del aire, donde existen menos partículas, al agua donde hay más. Las lentes son un ejemplo de la aplicación de la refracción. Se usan en la fabricación de algunos objetos, como los anteojos, las lupas, las cámaras de video y los telescopios.

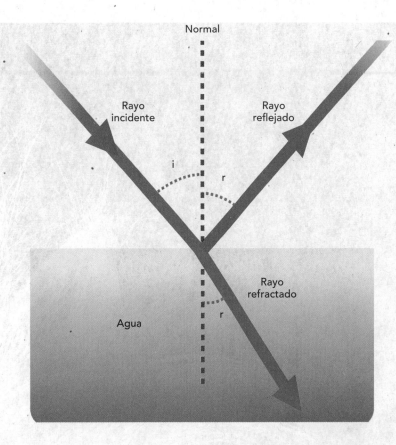

Las lentes de los anteojos son un ejemplo de la aplicación de la refracción de la luz.

La lupa aumenta las imágenes por efecto de la refracción de la luz.

Durante el desarrollo de este tema describirás algunas formas de electrizar los materiales en situaciones del entorno.

Asimismo, obtendrás conclusiones de la electrización de objetos con base en el efecto producido y el material del que están hechos.

TEMA 2

# Electrización de materiales

A veces, especialmente cuando el clima está seco, al peinarte con un peine de plástico se puede observar que del cabello saltan pequeñas chispas, a la vez que se escuchan chasquidos; además, el pelo es atraído por el peine. Lo mismo sucede con algunas prendas al frotarlas: despiden chispas y chasquidos. También, en otras ocasiones al tocar un objeto metálico o a una persona sientes un toque. Alguna vez te has preguntado, ¿por qué ocurren estos fenómenos?

La electricidad estática provee cargas del mismo polo a cada cabello, por esto los cabellos se separan y repelen entre sí.

Chispas producidas por la fricción entre la suela del zapato y la alfombra.

## ¿Se atraen o rechazan?

## Observa, analiza y explica.

*Materiales:*
- Globo mediano
- Bolsa de plástico
- Hoja de papel cortada en trozos pequeños
- Un poco de agua

Manos a la obra. Formen equipos para trabajar. Inflen el globo y háganle un nudo. Acerquen el globo a los pedacitos de papel. ¿Qué observan?

_____

_____

Ahora, froten el globo con el cabello seco de algún compañero y aproxímenlo a los pedacitos de papel. ¿Qué ocurre?

_____

Acerquen la bolsa de plástico a los pedacitos de papel. ¿Qué sucede?

_____

Froten nuevamente el globo con el cabello y aproxímenlo a la bolsa de plástico. Anoten sus observaciones.

_____

_____

Ahora, acerquen la bolsa de plástico a los pedacitos de papel. Describan lo que sucede.

_____

_____

Froten nuevamente el globo con el cabello e intenten pegarlo a la pared del salón. Anoten sus observaciones.

_____

_____

Mojen el globo con un poco de agua y acérquenlo nuevamente a los pedacitos de papel. ¿Qué ocurre? _____

_____

¿Qué propiedad adquirió el globo cuando lo frotaron con el cabello? _____

_____

En la actividad anterior observaste que al frotar el globo con el cabello adquiere la propiedad de atraer cuerpos, por ello los pedacitos de papel y la bolsa se adhieren a él. A este fenómeno se le llama electrización, e involucra una forma de energía. Cuando el globo se moja pierde esta propiedad.

# Formas de electrizar un cuerpo

Tales de Mileto (639-546 o 547 a.C.), filósofo griego, descubrió que al frotar el ámbar –una resina de árbol endurecida–, en sus prendas de algodón, podía atraer cuerpos ligeros como semillas de pasto. Ámbar en griego se dice *élektron*, por eso a esta propiedad se le llamó electricidad.

Ámbar. Resina de origen vegetal producida por algunos troncos de árboles para su protección y que se endurece con el paso del tiempo.

Frotamiento

Contacto

Inducción

La electricidad se encuentra a nuestro alrededor, eso lo demuestran las chispas que desprenden nuestras prendas de vestir, los relámpagos que se producen durante una tormenta, o la atracción que ejerce un globo cuando lo frotas con tu cabello o con una prenda.

La electrización de un cuerpo se logra mediante frotamiento, contacto o inducción:

- Frotamiento. Como su nombre lo indica, ocurre al frotar un cuerpo con otro. Por ejemplo, cuando frotaste el globo con el cabello.
- Contacto. Cuando un cuerpo ya electrizado toca a otro y le transfiere esta propiedad. Por ejemplo, cuando tocaste el globo electrizado con la bolsa de plástico.
- Inducción. En este caso no hay contacto entre objetos, ocurre a distancia cuando se aproxima un cuerpo electrizado a otro. Por ejemplo, cuando acercaste el globo y la bolsa de plástico a los pedacitos de papel.

Durante el desarrollo de este tema reconocerás algunas formas de generar calor y su importancia en la vida cotidiana.

Asimismo, describirás algunos efectos del calor en los materiales y su aprovechamiento en diversas actividades.

TEMA 3

# Los efectos del calor en los materiales

## Generación de calor

¿Por qué cuando hace mucho frío, es común que las personas froten sus manos?

Desde tiempos antiguos, la humanidad ha buscado la manera de sobrevivir aprovechando los recursos naturales para obtener alimento, protegerse de las condiciones ambientales y tener una vida más cómoda.

Hace aproximadamente medio millón de años, nuestros antepasados comenzaron a usar el fuego. Es posible que entonces lo tomaran de incendios naturales causados por los rayos.

Herramientas primitivas para producir fuego.

Al paso del tiempo aprendieron a producir fuego por fricción al frotar trozos de madera con rapidez. En esa época, utilizaban el fuego para protegerse de los animales, alumbrarse y cocer sus alimentos.

Aproximadamente en el 2 500 a.C., utilizando el fuego, el ser humano comenzó a extraer metales de los minerales para elaborar armas y utensilios.

La motocicleta de vapor con turbina funcionaba con fuego. Fue inventada en Alemania en 1818.

Ya en nuestra era, en el siglo XVIII, el ser humano usó por primera vez el fuego para mover maquinaria, lo que dio origen al periodo histórico conocido como Revolución Industrial.

## El calor genera movimiento

### Comparen, clasifiquen y discutan.

Completen la siguiente tabla señalando con una (√) en cada fenómeno, si la fricción entre dos superficies representa una ventaja o desventaja. Investiguen cómo se podría disminuir el efecto de la fricción.

| Fenómeno | Ventajas | Desventajas |
|---|---|---|
| Desgate de la suela de los zapatos. | | |
| Rodar una pelota y que se detenga. | | |
| El rechinar de una puerta. | | |
| Caminar | | |
| Cepillarse los dientes. | | |
| Desintegración de un meteorito al entrar en contacto con la atmósfera de la Tierra. | | |
| Frotarse las manos | | |
| Obtención de fuego para calentar la comida | | |

Discutan y expliquen brevemente porque ocurre cada fenómeno.

## El calor genera movimiento

### Experimenta y analiza.

Con tu equipo de trabajo realiza la siguiente actividad.

**Materiales:**
- Hoja de papel de 15 x 15 cm
- Trozo de papel aluminio de 15 x 15 cm
- Tijeras
- 30 cm de hilo
- Vela
- Cerillos

Manos a la obra. Dibujen en la hoja un círculo de aproximadamente 14 cm de diámetro y recórtenlo.

Dibujen una espiral del centro del círculo al borde, como se muestra en la figura.

Recorten el círculo siguiendo la línea dibujada.

Coloquen la vela sobre una mesa.

Con el hilo, amarren la espiral por el centro y cuélguenla de tal manera que la parte inferior quede a una distancia aproximada de 10 cm de la vela.

Con ayuda de un adulto, enciendan la vela. Cuiden que el papel no se queme. Observen qué sucede y escríbanlo a continuación.

_____
_____
_____

Repitan el mismo experimento, pero ahora con papel aluminio.
¿Qué sucede?

_____
_____

El principio básico de la máquina de vapor se aplicó para mover barcos y trenes al inicio de la Revolución Industrial.

## El calor y sus efectos

El calor también sirve para generar movimiento. Por ejemplo, en la actividad anterior, la llama de la vela calienta el aire y produce una corriente que hace girar la espiral, por lo tanto también es una forma de energía.

Durante la Revolución Industrial se inventaron distintas máquinas que funcionaban con el vapor producido al calentar agua. Una de las máquinas más representativas de esta época es el ferrocarril movido por vapor.

Aelopila. Dispositivo que genera movimiento con la fuerza del vapor.

## La ciencia y sus vínculos

En el año 75 a.C., Herón de Alejandría inventó un dispositivo que se llenaba de agua, y al calentarlo, el vapor salía por unas aberturas, lo que lo hacía girar. Sin embargo, fue hasta el año 1700 cuando se le dio una aplicación práctica al vapor. Denis Papin, físico francés, inventó la marmita –una especie de olla exprés– y un motor de vapor que usó para movilizar un barco. A medida que el ser humano incrementó sus conocimientos y mejoró la tecnología, sustituyó las máquinas de vapor por motores que usan gasolina y electricidad. ▪▪▪

Denis Papin (1647-1712).

Barco de vapor de Jonathan Hulls, siglo XVIII.

## Dilatación

El calor no sólo genera movimiento, también produce cambios en los materiales. En el bloque anterior aprendiste que los materiales cambian de estado físico al aplicarles calor, y que las propiedades de los alimentos se modifican al cocinarlos. Otro de los efectos del calor es la dilatación, que es el aumento de tamaño de un material al calentarse. Por ejemplo en las banquetas existe una pequeña ranura y en las vías del tren un espacio entre los rieles, esto evita que al dilatarse los materiales choquen y se fracturen. También, gracias a la dilatación del mercurio podemos medir la temperatura con los termómetros.

Metal en estado líquido. El mercurio se dilata y expande con el calor, por eso se usa en los termómetros.

PROYECTO

# Construcción de juguetes

¿Cómo funciona un caleidoscopio y cómo podemos construirlo?

¿Cómo aprovechar la electrización para jugar moviendo objetos pequeños?

En equipo, lleven a cabo una investigación sobre cómo elaborar algunos juguetes o aparatos utilizando las propiedades de la luz y la electrización que conocieron en este bloque; pueden construir un caleidoscopio o un electroscopio, entre otros objetos.

## Planeación

Decidan qué juguete construirán. En función de eso, analicen cuáles materiales son más convenientes y cuánto tiempo les llevará cada actividad. Asignen distintas funciones a cada miembro del equipo.

Investiguen en diferentes fuentes como libros, revistas e Internet, y pidan orientación a su profesor.

El siguiente cronograma les puede ayudar a planear su proyecto, complétenlo según las necesidades particulares de éste.

| Tarea | Tiempo que le dedicarán |
|---|---|
| Investigar en libros, enciclopedias e Internet | |
| Conseguir el material | |
| Elaborar el juguete | |
| Presentar el proyecto ante el grupo | |

Se sugiere que organicen un taller para elaborar sus juguetes, en el que puedan participar sus padres. Recuerden preferir materiales de reúso, reciclados y de fácil adquisición.

# Desarrollo

Una vez que hicieron la investigación, construyan su juguete. A continuación se sugieren dos, pero recuerden que pueden elaborar el que ustedes quieran.

## Juguete 1. Caleidoscopio

**Materiales:**
- Un cartón de 16 x 13 cm
- Un lápiz
- Tijeras
- Regla
- Pegamento
- Papel de China
- Cinta adhesiva
- Papelitos u objetos pequeños de colores (confeti)
- Papel negro o un plumón de color negro
- Papel aluminio
- Papel celofán o plástico

Con el lápiz y la regla, hagan tres marcas cada 4 cm en los dos lados más largos del cartón. Tracen tres líneas uniendo las marcas de cada lado que se corresponden, de manera que el cartón quede dividido en cuatro partes iguales.

Doblen el cartón siguiendo las líneas.

Cubran tres partes del cartón con el papel aluminio, que quede lo más liso posible, y dejen la cuarta parte sin nada.

Doblen el cartón para formar un tubo triangular. El papel aluminio debe quedar en el interior. Peguen la parte restante con pegamento o cinta adhesiva para mantenerla fija.

Peguen un pedazo de plástico o papel celofán transparente en ambos extremos del caleidoscopio

Coloquen los pedacitos de colores u objetos sobre el plástico de uno de los extremos y cúbranlos con papel de China de tal manera que quede un espacio para que se puedan mover los papelitos u objetos. Fijen el papel de China con la cinta adhesiva.

Miren por el caleidoscopio del lado que no tiene el papel de China y hacia la luz (no directo al Sol), y gírenlo.

## Juguete 2. Confeti saltarín

**Materiales:**

- Una botella de plástico vacía, limpia, seca y con tapa
- Confeti o bolitas de unicel
- Un clip metálico

Introduzcan el confeti en la botella y ciérrenla.

Froten rápido sus manos en los costados de la botella. Observen lo que sucede.

Abran un clip metálico y toquen el confeti por encima de la botella. Observen lo que sucede.

## Comunicación

Pueden organizar una feria en la que presenten su juguete.

Realicen un cartel de la siguiente manera: redacten un texto en el que expliquen el funcionamiento de su juguete, cómo lo hicieron, qué materiales usaron y cuál propiedad de la luz se manifiesta o si interviene la electrización. Incluyan los datos de las fuentes bibliográficas (libros, revistas, periódicos o Internet) que utilizaron. Peguen la información sobre una cartulina e ilústrenla. Coloquen el cartel en la pared.

Presenten su juguete a la comunidad escolar, la idea es que los asistentes jueguen con él y conozcan su funcionamiento al leer el cartel y, si surgen dudas, ustedes las resuelvan.

## Evaluación

Al realizar este ejercicio podrás conocer tu desempeño en el trabajo en equipo.
Es importante que reflexiones al respecto para mejorar cada vez más.

| | Sí | No | A veces | ¿Cómo puedo mejorar? |
|---|---|---|---|---|
| Propuse ideas para elaborar el proyecto. | ○ | ○ | ○ | |
| Apliqué mis conocimientos acerca de las características de los materiales en el desarrollo del proyecto. | ○ | ○ | ○ | |
| Seleccioné los materiales más adecuados para construir un caleidoscopio o un juguete de confeti saltarín. | ○ | ○ | ○ | |
| Evalué los procesos empleados y los productos obtenidos. | ○ | ○ | ○ | |
| Compartí sugerencias y escuché las de mis compañeros. | ○ | ○ | ○ | |
| Comprendí y expliqué el funcionamiento del dispositivo que ayudé a construir. | ○ | ○ | ○ | |

# Evaluación

Concéntrate en cada pregunta y escribe la respuesta en el espacio correspondiente. Verifica con tu profesor y tus compañeros tu respuesta; si es incorrecta, lee de nuevo  la sección del libro donde se encuentra el tema, subraya la respuesta y vuelve a contestar la pregunta.

1.  Contesta las siguientes preguntas.

¿Qué sucede con la luz al incidir en un cartoncillo, en un cuerpo de agua y en un vidrio?

_____
_____

¿Explica si los ángulos de incidencia y reflexión son siempre iguales en un espejo?

_____
_____

2.  Elige una de las imágenes de la página 109 y explica por qué se ve distorsionada.

_____
_____

3.  Utiliza un ejemplo para contestar la siguiente pregunta.

¿Cómo se genera movimiento a partir del calor?

_____

# Autoevaluación

Es momento de que revises lo que has aprendido en este bloque. Lee cada enunciado y marca con una (√) el nivel que hayas logrado. Así, podrás reconocer tu desempeño al realizar el trabajo en equipo y de manera personal.

| | Siempre | Lo hago a veces | Difícilmente lo hago |
|---|---|---|---|
| Explico algunos fenómenos del entorno a partir de la reflexión y la refracción de la luz. | ○ | ○ | ○ |
| Reconozco algunas formas de generar calor y su importancia en la vida cotidiana. | ○ | ○ | ○ |

¿En qué otras situaciones puedo aplicar lo que aprendí en este proyecto?

_____

_____

| | Siempre | Lo hago a veces | Difícilmente lo hago |
|---|---|---|---|
| Contribuí con información para el trabajo en equipo. | ○ | ○ | ○ |
| Escuché con atención y respeto a mis compañeros. | ○ | ○ | ○ |
| Tomé en cuenta las propuestas de trabajo de mi equipo. | ○ | ○ | ○ |

Me propongo mejorar en:

_____

_____

_____

Ahora dedica unos minutos a pensar en tu desempeño durante este bloque y contesta a las siguientes preguntas:

¿Qué temas se me dificultaron? _____

¿Qué actividades me costaron más trabajo? _____

¿Las pude terminar? _____

¿Qué hice para lograrlo? _____

# ¿Cómo conocemos?

ÁMBITOS:

- EL CAMBIO Y LAS INTERACCIONES
- LA TECNOLOGÍA
- EL CONOCIMIENTO CIENTÍFICO

Región central
de la Vía Láctea.

Durante el desarrollo de este tema explicarás la formación de los eclipses y la secuencia del día y la noche a partir del movimiento de la Tierra y la Luna.

Asimismo, reconocerás cómo las explicaciones del movimiento de la Tierra respecto al Sol han cambiado a lo largo de la historia.

TEMA 1

# Los movimientos de la Luna y la Tierra

## Arriba y abajo: el Sol, la Tierra y la Luna

Una noche estrellada es un espectáculo natural que ha fascinado a los seres humanos desde la antigüedad. Sin embargo, es probable que al hacer observaciones de los astros del cielo alguna vez te hayas preguntado: ¿Por qué no observamos al Sol durante la noche? ¿A qué se debe que exista el día y la noche? ¿Cómo se desarrollan los eclipses?

Comenta con tus compañeros lo que sabes acerca de estos temas.

V. Hassick

Estrella enana blanca.

## ¿Son iguales todos los astros que hay en el cielo?

En una noche despejada, podemos observar los astros. No todas las "estrellas" que vemos lo son propiamente, algunas son planetas cercanos a la Tierra que reflejan la luz del Sol. Podemos distinguir a los planetas de las estrellas porque los primeros no centellean.

El Sol es un astro que emite calor y luz propia. Es la estrella más cercana a nuestro planeta, por lo que, durante el día, su luz predomina y no permite que veamos a las demás.

Alrededor del Sol giran ocho planetas y otros astros, a este conjunto se le llama Sistema Solar. Dentro de él, en tercera posición a partir del Sol, se encuentra la Tierra, el planeta donde habitamos. Su forma es ovoide: como una esfera ligeramente achatada en los polos y ensanchada en el ecuador.

La Tierra sólo tiene un satélite natural: la Luna, un cuerpo de menor tamaño que gira alrededor de ella, que refleja la luz solar y cuya forma parece variar dependiendo de su ubicación.

Planetas del Sistema Solar en la misma proporción.

La Tierra y la Luna, imagen tomada por astronautas desd el espacio.

## Un dato interesante

"Houston... aquí base Tranquilidad, el Águila ha alunizado". Éstas fueron las palabras pronunciadas por el astronauta Edwin Eugene Aldrin Jr. el 20 de julio de 1969, cuando la nave espacial Apolo XI, que él mismo piloteaba, llegó a la Luna. Fueron momentos de gran nerviosismo pues cuando sólo quedaban 30 segundos de combustible y estaban a punto de abortar la misión, Edwin E. Aldrin decidió apagar los motores para alcanzar a descender. Instantes después halló la zona prevista para alunizar: el Mar de la Tranquilidad.

Neil Armstrong bajó por las escaleras y se convirtió en el primer ser humano en pisar el suelo lunar; emocionado comentó: "Éste es un pequeño paso para el hombre, pero un gran salto para la humanidad". ¡Qué momento!, una persona había pisado la superficie de la Luna.

La aventura sobre la superficie lunar duró unas horas. Durante la misión, los astronautas instalaron instrumentos con el propósito de enviar información a nuestro planeta, recolectaron muestras de rocas que actualmente se siguen analizando y tomaron fotografías de la superficie. Después de este viaje se realizaron otras 10 misiones más, la última en 1972, llamada Apolo XVII.

Despegue del cohete espacial Apolo XI.

Neil Armstrong, astronauta de la misión Apolo XI, que llegó a la Luna.

Coatlicue, diosa mexica de la tierra 350 x 130 cm.

140 cm

# El enigma de lo que ocurre en el cielo: dioses y pensamiento

Los seres humanos siempre hemos sentido curiosidad por saber acerca de la Tierra, el Sol y la Luna. Imagínate lo que para las personas de la antigüedad era mirar que las montañas parecían devorar al Sol o que en el horizonte éste desaparecía misteriosamente y a la mañana siguiente de nuevo surgía en un lugar diferente al que se había ocultado. ¿Cómo entender lo que sucedía ante sus ojos? Cada cultura elaboró mitos para explicar los movimientos de la Tierra, el Sol y la Luna, por ejemplo, el siguiente relato:

dios mayor de las culebras

[...] en Coatepec, una bola hecha de plumas fecundó a Coatlicue. Coyolxauhqui y los Centzon Huitznahua, que eran sus hermanos, mucho se enojaron y quisieron evitar que Huitzilopochtli naciera, entonces acordaron atacar a Coatlicue. Huitzilopochtli nació y con una serpiente de fuego en la mano persiguió y aniquiló a sus hermanos los Centzon Huitznahua; sólo unos cuantos pudieron escapar, se llaman los 400 surianos porque se dirigieron hacia el sur. A Huitzilopochtli lo veneraban los mexicas, lo honraban y servían...

(Adaptado del *Códice Florentino*, libro III, capítulo I.

Traducción del náhuatl de

Miguel León-Portilla).

La serpiente y el jaguar, mural de Rufino Tamayo en el Museo Nacional de Antropología, México. Representa el día y la noche, 353 x 1221 cm.

Los mexicas representaron y explicaron con un mito el nacimiento de Huitzilopochtli, sol del amanecer y del mediodía, señor y dios de la guerra a quien adoraban y rendían culto. Los 400 surianos representaban a las estrellas y Coyolxauhqui a la Luna. Huitzilopochtli, armado con una serpiente de fuego, tenía una batalla a diario con la Luna y las estrellas; cuando las vencía, el Sol brillaba de nuevo.

Ilustración que representa un temblor de Tierra y un eclipse. *Códice Telleriano-Remensis*.

## Un dato interesante

En los códices de la cultura mexica, se nombra al Sol y a la Luna de distintas maneras.

El nombre más común del Sol era Tonatiuh o Tonatiuhtzin; también se le llamaba Xihuhpilli (príncipe del fuego). Según Michel Gaulich, Quetzalcóatl (Sol de la cuarta era) y Tezcatlipoca (Sol de la quinta era) se alternaban el papel del Sol. Para la Luna se encontraron las denominaciones Coyolxauhqui, Meztli y Metztzin.

Algunos pueblos como los babilonios, propusieron que la Tierra era el centro del Universo y que el Sol y los demás cuerpos celestes se movían alrededor de ella, así explicaban el día y la noche. Si lo meditas un poco, es fácil llegar a esta conclusión, pues durante el día percibimos como que fuera el Sol el que cambia de lugar.

# Los cambios: ¿qué ocurre en el cielo?

Aunque estés quieto te mueves. Quizá no lo sientas, pero la Tierra siempre está en movimiento y nosotros con ella; y no sólo realiza un movimiento, sino dos a la vez.

## Movimiento de rotación: secuencia del día y la noche

Observa el dibujo de la Tierra en la siguiente página. Nuestro planeta está inclinado, así como sucede con el trompo en algunos momentos de cada giro. Al moverse, la Tierra también gira sobre sí misma alrededor de un eje de rotación terrestre. A este movimiento se le llama rotación. Los puntos por donde pasan los extremos del eje de rotación terrestre se conocen como polos: el Polo Norte y el Polo Sur.

Polo
norte

Trópico
de Cáncer

Trópico
de Capricornio

Ecuador

Polo
sur

Eje de
rotación

Aunque nosotros no sentimos el movimiento de rotación de la Tierra, aun cuando lo hace a una gran velocidad, de aproximadamente 0.5 kilómetros por segundo (km/s), sí percibimos uno de sus principales efectos. Averigua cuál es al realizar la siguiente actividad junto con tu equipo de trabajo.

Toma en cuenta que en nuestro planeta la rotación provoca que durante el transcurso de la noche las estrellas cambien de posición en el cielo.

El tiempo que tarda la Tierra en dar una vuelta completa sobre sí misma se conoce como día, y tiene una duración aproximada de 24 horas. Vamos a investigar qué pasa en diferentes regiones de la Tierra durante este movimiento.

## ¡Qué baile tan elegante!

**Observa, compara y analiza.**

*Materiales:*
- Lápiz
- Trompo, una pirinola, o una taparrosca de refresco y un palillo de dientes
- Compás
- Lápices de colores
- Pegamento blanco

Formen equipos para trabajar. En caso de no tener un trompo o pirinola, pueden hacerlo como a continuación se indica: con la punta del compás hagan una perforación en el centro de la taparrosca, pasen por ahí el palillo de dientes y fíjenlo con pegamento blanco.

Hagan girar el trompo sobre una superficie lisa; en el caso de la taparrosca cuiden que la parte abierta quede hacia arriba.

¿Cuál es su eje de rotación? Para contestar esta pregunta comparen la imagen de esta página y el movimiento del trompo.

## El día y la noche

### Observa, analiza y comunica.

Cuando en México es de día, ¿en la India será de día, o de noche?

*Materiales:*
- Una pelota mediana, más o menos del tamaño de un balón de voleibol
- Un planisferio
- Una linterna
- 10 cm de hilo de cáñamo
- Cinta adhesiva

Manos a la obra. Recorten los continentes del planisferio y péguenlos sobre la pelota.

Con la cinta adhesiva fijen un extremo del hilo en el lugar donde se ubica el Polo Norte.

Marquen la ubicación de nuestro país y la de la India.

En un lugar oscuro, una persona del equipo sostendrá la pelota por el extremo del hilo, dejando que cuelgue, y otra alumbrará la pelota con la lámpara a dos metros de distancia.

Giren lentamente la Tierra hacia la derecha. ¿Cuál es el eje de rotación?

_____

En su modelo, ¿qué representa la linterna?

_____

Por la iluminación que recibe, cuando el continente americano está frente a la luz de la linterna, en nuestro país sería

_____

Den media vuelta a la pelota en el sentido indicado antes. Por la iluminación que recibe, ahora en la República Mexicana sería

_____

Expliquen cuándo suceden el amanecer, el día, la tarde, el anochecer y la noche. Registren en su cuaderno sus observaciones.

Ahora respondan la pregunta planteada al inicio de la actividad. Cuando en México es de día, ¿en la India será de día o de noche?

_____

_____

Cuando en América es de día, ¿cómo será en Europa?

Cuando en Europa es de día, ¿cómo será en América?

12 p.m.

2 p.m.

10 a.m.

4 p.m.

8 a.m.

6 p.m.

6 a.m.

Las distintas posiciones que adopta el Sol durante el transcurso del día hacen pensar que gira alrededor de la Tierra, pero es lo contrario: la Tierra gira alrededor del Sol.

El Arco. Mar de Cortés, Cabo San Lucas, Baja California Sur.

**Consulta en...**
http://spaceplace.nasa.gov/sp/kids/

Representación de las estaciones en el hemisferio norte.                    Invierno                                                                    Primave

## La traslación de la Tierra: ¡qué largo recorrido!

Además de girar sobre su propio eje, la Tierra gira alrededor del Sol con una trayectoria elíptica. A esto se le conoce como movimiento de traslación. La Tierra tarda aproximadamente 365 días en dar una vuelta completa alrededor del Sol, es decir, un año solar.

A lo largo del año, debido a la inclinación del eje terrestre, el calor y la luz del sol se reparten de manera distinta sobre la Tierra y por ello se producen las cuatro estaciones del año, conocidas como primavera, verano, otoño e invierno.

Equinoccio. Época en que, por hallarse el Sol sobre el ecuador, los días son iguales a las noches en toda la Tierra, lo cual sucede anualmente.

Invierno
Verano
Verano
Invierno

Sin embargo, hay regiones de la Tierra en las que sólo ocurren dos estaciones. En los polos Norte y Sur, por ejemplo, sólo hay invierno y verano, cada uno dura seis meses. El 21 de marzo inicia el verano en el Polo Norte mientras en el Polo Sur inicia el invierno. El 23 de septiembre comienza el invierno en el Polo Norte, y en el Polo Sur empieza el verano.

### El verano y el invierno

**Observa, analiza y reflexiona.**

Trabajen en equipo.

**Materiales:**
- Modelo de la Tierra que realizaron en la actividad anterior
- Una linterna
- Un cuadrado de cartón negro para cubrir la lintern.

Manos a la obra. Realicen la actividad en un lugar oscuro.

Con la punta de un lápiz hagan un orificio en el centro del cartón y cubran con éste la parte donde la linterna emite luz.

Alguien del equipo sujetará la pelota con el hilo y otra persona le ayudará a inclinarla sobre su eje.

Otro miembro del equipo sostendrá la linterna encendida apuntando la luz hacia el modelo a un metro de distancia.

Coloquen el continente americano de cara al Sol (linterna) y observen el área iluminada.

Trasladen la Tierra (balón), sin rotarla y manteniendo su inclinación, alrededor del Sol hasta completar media vuelta. Ahora roten la Tierra hasta que el continente americano quede de nuevo de cara al Sol. Observen de nuevo el área iluminada por el Sol. En todos los casos la región iluminada ¿fue igual, o diferente?

Verano

Otoño

En el mes de mayo, el hemisferio norte recibe los rayos del Sol de forma casi perpendicular a su superficie, así, la cantidad de luz del Sol es mayor y por ello hace más calor; ¿qué estación es ésta? ¿Qué actividades realizas en esta época?

En cambio, en el mes de enero, el hemisferio sur es el que recibe los rayos directos del Sol y la parte norte los recibe con un cierta inclinación y en un área grande, de esta manera, aquí hace más frío: es el invierno. ¿Qué actividades realizan tú y tus compañeros y compañeras durante el invierno?

El Sol está situado en el centro del Sistema Solar, a su alrededor giran ocho planetas. ¿Por qué nos parece que el Sol y los demás cuerpos celestes giran alrededor de nuestro planeta?

Piensa: cuando viajas en un coche o en un camión, al mirar a través de la ventana parece que las personas, las casas y los árboles se mueven, pero sabes que no es así, eres tú el que se desplaza en el vehículo. La Tierra sería como el vehículo, tú estás moviéndote con ella cuando gira sobre su eje, y el cielo es como la ventana del vehículo; así, cuando miras la bóveda celeste, parece que los demás cuerpos son los que se mueven. Como el movimiento de rotación se lleva a cabo de oeste a este, el Sol aparenta salir por el este y ponerse por el oeste.

El Sol ocupa el centro del Sistema Solar. Son los planetas los que giran alrededor de éste.

Equinoccio de verano

Solsticio de verano

Solsticio de invierno

Estaciones del año.

Equinoccio de otoño

Las estaciones son opuestas entre un hemisferio y otro.

Elaboren en su cuaderno un resumen acerca de lo que aprendieron en este tema. No olviden buscar el significado de las palabras que desconozcan e incorporarlas a su diccionario.

## La compañera de la Tierra: la Luna

La Luna también tiene movimientos de rotación y de traslación; se traslada alrededor de la Tierra y rota sobre sí misma. Al girar sobre su eje, lo hace aproximadamente en 28 días, mismo tiempo que tarda en completar su órbita alrededor de la Tierra, por eso siempre observamos la misma cara de este satélite.

Ilustración digital de las fases de la Luna.

Telescopio espacial Hubble.

### Un dato interesante

Gracias a los avances tecnológicos como el telescopio y las sondas espaciales se sabe que en la superficie lunar hay valles con cráteres, llanuras, montañas y grietas.

La Tierra vista desde la superficie de la Luna.

## De viaje por el Sistema Solar

### Analiza, reflexiona y comunica.

¿Cómo te imaginas que sería ver los astros moviéndose en el espacio cósmico? Te invitamos a realizarlo, la siguiente actividad será como un viaje, donde imaginarás y simularás los movimientos de rotación y traslación de algunos astros. Organícense en equipos. Si tienen alguna idea o cambio que quieran hacer, consulten con su profesor antes de llevarlo a cabo.

### Materiales:

- Modelo de la Tierra que usaron en las actividades anteriores
- Una pelota más pequeña que la del modelo de la Tierra representará a la Luna
- Linterna
- Cartulina

Manos a la obra. Salgan al patio de la escuela y con la colaboración de su profesor organícense para representar los movimientos de traslación y rotación terrestres. Un miembro del equipo representará al Sol y él llevará la linterna, otro a la Tierra y otro a la Luna, ésos serán sus nombres durante la actividad.

Realicen los movimientos de rotación y traslación de cada astro.

Primero, quien tome el lugar de la Tierra comenzará a moverse girando o rotando sobre sí misma y trasladándose alrededor del Sol.

Después, la Tierra deberá mirar hacia el norte y, sin rotar, dar una vuelta alrededor del Sol, que siempre iluminará a la Tierra. Observen cómo sería la iluminación de la Tierra durante toda su trayectoria.

Observen también que en este modelo, durante la mitad del recorrido será de día y durante la otra mitad será de noche. Si la Tierra no rotara, ¿cuántos meses duraría una noche? _____ y ¿cuántos meses duraría un día completo con su noche? _____

Para dar respuesta a estas preguntas es necesario reflexionar que un día con su noche se lleva a cabo en 24 horas, y que la Tierra tarda 12 meses en dar una vuelta completa al Sol. En esta actividad un día completo con su noche se llevará a cabo en doce meses, y una noche durará seis meses.

En equipos elaboren dibujos acerca de lo que aprendieron en esta actividad y explíquenlos a sus compañeros.

Consulta en...
http://ciencia.msfc.nasa.gov/
http://spaceplace.nasa.gov/sp/kids/

# Cuando los astros se ocultan

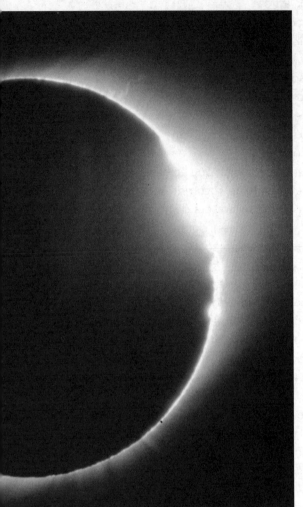

Eclipse total de Sol. Deja ver una llamarada solar.

Ni el Sol ni la Luna se movían, los dos se habían quedado quietos [...] arriba del horizonte [...] entonces Ehécatl, el viento, hizo moverse al Sol [...] detrás de él comenzó a andar la Luna [...] por eso no se mueven juntos [...] dura todo el día el Sol, pero la Luna de noche hace su oficio [...] cada noche cumple su deber...

*Auh in ic icaiac ye otlatoca, zan umpa oninocauh in Meztli; quinicuac in ocalaquito icalaquian Tonatiuh, ye no cuele ic hualehuac in Meztli: ic umpa mopatilique, motlallotilique inic ce ceppa hualquiza; tlacemilhuiltia in Tonatiuh, auh in Meztli yohual tequitl quitlaza, ce yohual quitlaza, yohualtequi...*

*Códice Florentino,* libro VII, capítulo 2.
Traducción del náhuatl de Miguel León-Portilla.

Para los mexicas, los astros se movían por el poder de seres vivientes. Por eso, cuando ocurrían sucesos como los eclipses, creían que algún ser poderoso se comía al Sol o a la Luna. Al eclipse de Sol lo llamaban *Tonatiuh-cualo,* que quiere decir "comedura de Sol", y al eclipse de Luna *Miztli-cualo.*

Otros pueblos, como los mayas, lograron predecir los eclipses con gran precisión.

Referencias mexicas a fenómenos y cuerpos celestes: el Sol, la Luna, los eclipses y el grupo de siete estrellas: *Tianquiztli* (el mercado), actualmente las conocemos como las Pléyades. Fray Bernardino de Sahagún, *Primeros Memoriales. Códice Matritense del Palacio Real de Madrid.*

Durante los movimientos del Sol, la Tierra y la Luna, hay determinados momentos en que los tres astros quedan alineados. ¿Qué fenómenos se observan desde la Tierra cuando esto sucede?

## Los eclipses

Cuando la Tierra se interpone entre el Sol y la Luna, es ella quien obstaculiza la luz del Sol e impide que la Luna se ilumine, a este fenómeno se le llama eclipse de Luna.

Eclipse de Luna.

Cuando la Luna se interpone entre el Sol y la Tierra, impide que parte de los rayos solares lleguen a la Tierra, es decir, forma una sombra. En los sitios de la Tierra donde se proyecta esta sombra de la Luna se observa un eclipse de Sol.

Eclipse total de Sol.

Eclipse parcial de Sol, Bhopal, India, 2007.

## Los eclipses

### Reflexiona, explica y comunica.

¿Has visto alguna vez un eclipse? Realmente es espectacular poder observar cómo se oculta el Sol o la Luna por algunos momentos. A continuación llevarás a cabo una actividad con tu equipo de trabajo, en la que pondrán en juego su imaginación para representar y explicar lo que aprendieron acerca de la formación de eclipses considerando los movimientos de la Luna y la Tierra.

#### Materiales:

- Modelo de la Tierra que usaron en las actividades anteriores
- Una pelota más pequeña que la del modelo de la Tierra representará a la Luna
- Una linterna

Manos a la obra. Elaboren modelos de los distintos tipos de eclipses. Investiguen cuándo se llevarán a cabo los próximos. ¿Cómo pueden comunicar a la comunidad escolar los resultados de su investigación? Elaboren sus propuestas y pidan la asesoría de su profesor. También es conveniente la observación de videos y la visita a un planetario. Hagan en su cuaderno un resumen de lo que aprendieron en esta actividad.

Astrónomos observan un eclipse solar, Miahuatlán, Oaxaca.

# Cuando la Tierra dejó de ser el centro del Universo

Aunque hoy se sabe que el Sol es el centro del Sistema Solar y que la Tierra y los demás astros giran a su alrededor, durante mucho tiempo se pensó que el Sol era el que giraba alrededor de la Tierra. ¿Por qué cambian las explicaciones de los fenómenos de la naturaleza?

Desde la antigüedad, el ser humano ha intentado explicar lo que sucede en la naturaleza Algunos griegos como Eudoxo (390-337 a.C.), propusieron que la Tierra era el centro del Universo y alrededor de ella se situaban los demá astros. Por su parte, Aristóteles (384-322 a.C.) explicó que la Tierra no se movía y que los demás astros eran los que giraban a su alrededor.

Cosmología aristotélica, 1524.

Consulta en...
http://spaceplace.nasa.gov/sp/kids/
http://planetario.ipn.mx/eclipse_resena.html

En el siglo II, Claudio Ptolomeo (100-170 d.C.), astrónomo y matemático egipcio, expuso un modelo para explicar los movimientos de los astros que consistía en siete esferas. Ptolomeo dedujo que todos los planetas, incluidos la Tierra y la Luna, se movían en las esferas y la Tierra se ubicaba casi en el centro del Universo. A este modelo se le conoce como modelo geocéntrico.

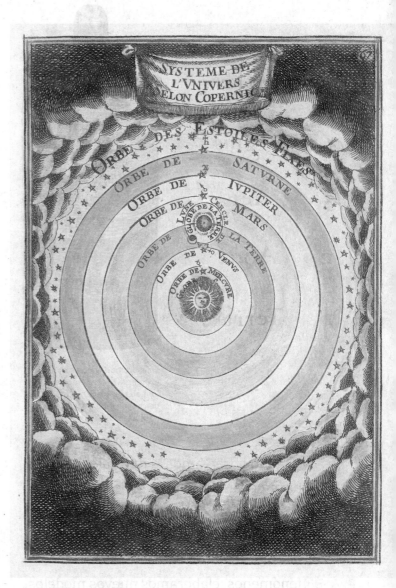

Dibujo del sistema planetario copernicano, 1690.

Sistema Solar copernicano.

El modelo geocéntrico fue aceptado hasta principios del siglo XVI. En 1512, el astrónomo polaco Nicolás Copérnico (1473-1543) estudió una idea de los griegos, que sostenía que la Tierra no era el centro del Universo, y con base en ella planteó una representación diferente del movimiento de los astros.

Copérnico ubicó en el centro de su modelo al Sol, dijo que la Tierra era un planeta que se movía alrededor de él y sobre sí mismo, que el único cuerpo que se movía alrededor de nuestro planeta era la Luna. En esta propuesta los astros se desplazaban en círculos alrededor del Sol. A este modelo se le conoce como modelo heliocéntrico del Sistema Solar.

. *5* . Æther .

. *4* . Ignis .

. *3* . Aer .

. *2* . Aqua .

. *1* . Terra .

En la cosmovisión aristotélica, el éter era el elemento que formaba los planetas. Éstos se ubicaban arriba de la Luna y se movían en círculos.

Cuando observamos la naturaleza, hacemos explicaciones de lo que sucede de acuerdo a los conocimientos que tenemos. Al llevar a cabo más descubrimientos de los mismos fenómenos, elaboramos nuevos modelos.

El modelo de esferas de Ptolomeo fue aceptado durante mucho tiempo, pero siglos después se llevó a cabo una nueva propuesta cuando Copérnico explicó los movimientos de los planetas con círculos. La idea copernicana dio explicaciones más convincentes y amplias acerca de los astros, además de que la demostró con cálculos matemáticos.

## La ciencia y sus vínculos

Entre las explicaciones más importantes acerca de los astros está la de los griegos, en especial la de Aristóteles. Este pensador se basó en el modelo de Eudoxo y propuso que el lugar natural de la Tierra estaba en el centro del Universo.

En el modelo aristotélico había dos regiones en el cosmos: una arriba de la Luna y otra debajo de ella. En la primera estaban los planetas, todo era perfecto y se movía en círculos. En la región de abajo existía lo imperfecto: la tierra, el agua, el fuego y el aire, moviéndose hacia arriba o hacia abajo. Todo lo que era semejante a la Tierra se movía en su dirección, por eso al lanzar una piedra hacia arriba, ésta regresaba a la Tierra.

Por arriba de la Luna se ubicaban el Sol y demás astros moviéndose en forma circular. Las propuestas del egipcio Ptolomeo y el griego Aristóteles fueron aceptadas durante más de 16 siglos. (Con la colaboración de tu profesor calcula a cuántos años equivale este tiempo). ▪▪▪

Sistema planetar de Ptolomeo.

Representación del modelo del sistema planetario de Kepler.

Representación actual del Sistema Solar.

Más adelante, en el siglo XVI, Johannes Kepler propuso que los planetas se mueven describiendo trayectorias elípticas.

Como te habrás dado cuenta, muchos conocimientos científicos que fueron aceptados en tiempos pasados, hoy han cambiado. En la actualidad sabemos que el movimiento de los planetas describe trayectorias elípticas, en lugar de esferas o círculos.

## Los cambios del conocimiento científico

### Investiga, analiza y explica.

Si las sociedades y la cultura cambian y la tecnología nos proporciona más y mejores instrumentos para la investigación, ¿qué es posible que suceda en el futuro con los conocimientos científicos actuales?

Explica en tu cuaderno lo que aprendiste en este bloque acerca de cómo han cambiado las ideas y conocimientos científicos del cosmos a lo largo de la historia. Si tienes duda, vuelve a leer este tema y pregunta a tu profesor.

Con la colaboración de tus compañeros investiga en Internet algunos conocimientos científicos de otros tiempos que hayan cambiado en la actualidad.

En grupo, elaboren una exposición en el periódico mural de su escuela. Recuerden buscar el significado de las palabras que no conozcan e incorporarlas a su diccionario. Guarden sus trabajos en sus portafolios.

Consulta en...
http://ciencia.msfc.nasa.gov/
http://www.bbc.co.uk/mundo/ciencia_tecnologia/index.shtml
http://www.fisicadebolsillo.com/modelos-geocentricos.html
http://www.planetario.ipn.mx/Acerca_de/sistema solar.html
http://www. astrosen.unam.mx/divulgación/openhouse/2010/puzzle/index.html

PROYECTO

# Mi proyecto de ciencias

Durante la realización de este proyecto tendrás oportunidad de aplicar todos los conocimientos que adquiriste durante el curso escolar. Para ello, junto con los demás integrantes de tu equipo de trabajo escojan uno de los siguientes temas.

### 1. El cuidado de la salud
¿Por qué son importantes la recreación y el esparcimiento para mantener la salud?

### 2. Aprovechamiento del calor en el funcionamiento de un juguete
¿Cómo aprovechar el efecto del calor para diseñar y construir un juguete?

## Planeación

Una vez que escogieron el tema, deben ponerse de acuerdo acerca de cómo contestarán la pregunta del proyecto, cuál será su producto, cómo y a quiénes les presentarán sus resultados. En el caso de que escojan el juguete, deben analizar cuáles materiales usarán. Definan las funciones que cada miembro realizará y calculen el tiempo que les llevará cada actividad.

Investiguen en diferentes fuentes como libros, revistas e Internet, y pidan orientación a su profesor.

Elaboren un cronograma como lo han hecho en los proyectos de los bloques anteriores, de acuerdo a las actividades particulares de su proyecto.

| Tarea | Tiempo que le dedicarán |
|---|---|
|  |  |
|  |  |
|  |  |
|  |  |
|  |  |

## Desarrollo

A continuación encontrarán preguntas que les serán útiles para diseñar su proyecto. Antes de realizarlo, preséntenselo a su profesor y juntos reflexionen acerca de las posibilidades de llevarlo a cabo.

## PROYECTO 1.
## El cuidado de la salud

¿Por qué son importantes la recreación y el esparcimiento para mantener la salud?

¿Qué servicios se ofrecen en el lugar donde vivo para impulsar la recreación y el esparcimiento?

¿Qué aspectos influyen en la salud integral? ¿Cómo podemos promoverlos?

¿Qué medidas de prevención podemos practicar de manera cotidiana para promover la salud?

## PROYECTO 2.
## Aprovechamiento del calor en el funcionamiento de un juguete

¿Cómo podemos aprovechar el efecto del calor para diseñar y construir un juguete?

¿Qué juguete nos interesa construir?

¿Qué materiales e instrumentos vamos a emplear?

¿Qué procedimientos pensamos seguir para construirlo?

¿Cómo podemos mejorar su funcionamiento?

A continuación, se sugiere la construcción de una turbina que funciona con el calor generado por una vela. Recuerden que pueden hacer este juguete o cualquier otro que ustedes hayan investigado.

**Materiales:**

- Una vela pequeña
- Una lata de refresco de aluminio
- Papel aluminio
- 20 a 25 cm de tubo de cobre
- Una tina
- Pinzas
- Tijeras

Con ayuda de su profesor, corten la lata de refresco a la mitad y hagan dos pequeñas perforaciones en la parte superior como se muestra en la ilustración.

Introduzcan la vela dentro de la lata de refresco y coloquen papel aluminio a su alrededor, cuiden no cubrir el pabilo.

Con ayuda de las pinzas, enrollen el tubo de cobre por el centro, hagan dos o tres vueltas; introduzcan los extremos del tubo en los orificios de la lata, de manera que el tubo enrollado quede sobre el pabilo de la vela.

Doblen con las pinzas los extremos del tubo en sentido opuesto, tal y como se muestra en la imagen.

Llenen tres cuartas partes de la capacidad de la tina con agua de la llave, prendan la vela y coloquen el dispositivo sobre el agua.

Observen lo que sucede.

**Turbina de juguete**

- base de una lata de refresco
- perforación
- vela
- papel celofán o papel aluminio
- sección enrollada
- tubo de cobre
- pabilo de la vela
- tina con agua

## Comunicación

En grupo, pónganse de acuerdo para dar a conocer a su comunidad educativa los resultados de su proyecto.

## Autoevaluación del proyecto

Es tiempo de que evalúes lo que has aprendido en este proyecto. Lee cada enunciado y marca con una (√) el nivel que hayas logrado alcanzar.

| | Sí | No | A veces | ¿Cómo puedo mejorar? |
|---|---|---|---|---|
| Escuché y valoré las opiniones de los demás integrantes del equipo. | ○ | ○ | ○ | _____ |
| Colaboré para que el proyecto se llevara a cabo como se planeó. | ○ | ○ | ○ | _____ |
| Realicé las actividades que me fueron asignadas. | ○ | ○ | ○ | _____ |
| Aporté ideas creativas y útiles para realizar el proyecto. | ○ | ○ | ○ | _____ |

# Evaluación

Para contestar lo siguiente será necesaria toda tu atención. Concéntrate en cada pregunta y escribe la respuesta en el espacio correspondiente. Verifica con tu profesor y grupo que la respuesta sea la adecuada; si no es así, lee de nuevo la sección del libro donde se encuentra el tema, analiza la respuesta y vuelve a contestar la pregunta.

1. Contesta lo que se te pide.

a) Con base en lo aprendido en este bloque, indica cómo han cambiado las explicaciones del movimiento de nuestro planeta respecto al Sol.

_____
_____

b) Explica cómo es el movimiento de traslación de nuestro planeta y qué fenómenos produce.

_____
_____

c) Por medio de un dibujo y con base en los movimientos de la Luna y la Tierra, explica cómo se produce un eclipse de Sol.

_____
_____

2. Escribe en las líneas las palabras que completan el párrafo:

| 365 días | traslación | rotación | 24 horas | refleja | Luna |
|---|---|---|---|---|---|

Durante el movimiento de _____ la Tierra gira sobre sí misma y se produce el día y la noche.

Este movimiento tarda aproximadamente _____.

El movimiento de _____ produce las cuatro estaciones del año. Este movimiento se lleva a cabo en aproximadamente _____.

La _____ es el satélite natural de la Tierra. Es un astro que _____ la luz del Sol.

# Autoevaluación

Es momento de que revises lo que has aprendido en este bloque. Lee cada enunciado y marca con una (√) el nivel que hayas logrado. Así, podrás reconocer tu desempeño al realizar el trabajo en equipo y de manera personal.

| | Siempre | Lo hago a veces | Difícilmente lo hago |
|---|---|---|---|
| Explico la formación de eclipses y la secuencia del día y la noche. | ○ | ○ | ○ |
| Reconozco que las explicaciones del movimiento de la Tierra respecto del Sol han cambiado a lo largo de la historia. | ○ | ○ | ○ |

¿En qué otras situaciones puedo aplicar lo que aprendí en este proyecto?

_____

_____

| | Siempre | Lo hago a veces | Difícilmente lo hago |
|---|---|---|---|
| Escuché con atención y respeto las opiniones de los integrantes de mi equipo. | ○ | ○ | ○ |
| Participé de manera colaborativa en las actividades del proyecto. | ○ | ○ | ○ |
| Expresé curiosidad e interés en plantear preguntas y buscar respuestas para el proyecto. | ○ | ○ | ○ |

Me propongo mejorar en:

_____

_____

Ahora dedica unos minutos a pensar en tu desempeño durante este bloque y contesta las siguientes preguntas:

¿Qué temas se me dificultaron? _____

¿Qué actividades me costaron más trabajo? _____

¿Las pude terminar? _____

¿Qué hice para lograrlo? _____

## Bibliografía

ALDRIN, Buzz y Malcolm Connell, *Los hombres de la Tierra*, México, Bantam Books, 1989.

BERGGREN, J. Lennart y Alexander Jones, *Ptolemy's "Geography": an annotated translation of the theoretical chapter*, ed., Princeton, Princeton University Press, 2001.

BURNIE, David, *Microvida*, México, SEP, 2005.

CARRETERO, Mario, *¿Qué es el constructivismo? Desarrollo cognitivo y aprendizaje. Constructivismo y educación*, México, Progreso, 1997.

CHANCELLOR, Deborah, *Planeta Tierra*, Madrid, Edilupa, 2007.

CHARLEY, Helen, *Tecnología de alimentos: procesos químicos y físicos en la preparación de alimentos*, México, Limusa, 2008.

DÍAZ BARRIGA, Frida y Gerardo Hernández Rojas, *Estrategias docentes para un aprendizaje significativo*, México, McGraw-Hill, 2002.

DRIVER, Rosalind, Edith Guesne y Andrée Tiberghien, *Ideas científicas en la infancia y en la adolescencia*, Madrid, Morata, 1989.

FIERRO, Julieta, Jesús Galindo y Daniel Flores, *Eclipse total de Sol en México*, México, UNAM, 1991.

FLORES, Fernando y Leticia Gallegos, "Construcción de conceptos físicos en estudiantes. La influencia del contexto", *Perfiles Educativos XXI*, núm. 85/86, pp. 85-86, 90-103, 1999.

_____, "El cambio conceptual: interpretaciones, transformaciones y perspectivas", *Educación Química*, vol. 15, núm. 3, pp. 256-269, 2004.

FUENTE, Beatriz de la, Teresa Uriarte, Marcus Winter y Felipe Solís, *México en el mundo de las colecciones de arte: Mesoamérica*, vol. 1, México, INAH, 1995.

GIORDAN, André y Gérard Vecchi, *Los orígenes del saber. De las concepciones personales a los conceptos científicos*, Sevilla, Diada, 1988.

GONZÁLEZ-FIERRO, Aurora, *La diversidad de los seres vivos*, México, SEP-Santillana, 2003.

GUYTON, Arthur C. y John E. Hall, *Tratado de fisiología médica*, México, McGraw-Hill Interamericana, 2006.

HARLEN, Wynne, *Enseñanza y aprendizaje de las ciencias*, Madrid, Morata, 1989.

HERNÁNDEZ, Ángel G., *Tratado de nutrición*, vol. I, Madrid, Acción Médica, 2005.

HERNÁNDEZ, Manuel y Ana Sastre, *Tratado de nutrición*. Madrid, Ediciones Díaz de Santos, 1999.

HIERREZUELO MORENO, José, *et al.*, *La ciencia de los alumnos*, México, Fontamara, 2002.

JOUVE, Nicolás, *Enseñanza-aprendizaje de la Biología*, Madrid, II Congreso Iberoamericano de Educación en Ciencias Experimentales, 2003.

LACASA, Pilar, "Construir conocimientos: ¿saltando entre lo científico y lo cotidiano?", en José Arnay, *La construcción del conocimiento escolar*, Barcelona, Paidós, 1997.

LACUEVA, Aurora, *Ciencia y tecnología en la escuela*, México, SEP-Alejandría, 2008.

LOSEE, John, *Introducción histórica a la filosofía de la ciencia*, México, Alianza Editorial, 2001.

LUENGAS, Rosalba y Aurelina Jiménez, *Manual de conservación de frutas y verduras*, Instituto Tecnológico del Valle de Oaxaca, San Martín Soyolapam, 2007

MENÉNDEZ-PONTE, María, *Qué mágico es mi cuerpo*, México, SEP, 2006.

NASSON, Alvin y Robert L. De Haan, *El mundo biológico*, México, Limusa, 1980.

ORAM, Raymond F, *et al.*, *Biología: sistemas vivientes*, México, CECSA, 1983.

PORLAN, Rafael, *et al.*, *Constructivismo y enseñanza de las ciencias*, Sevilla, Diada, 1997.

POZO, Juan Ignacio, *Aprender y enseñar ciencia. Del conocimiento cotidiano al conocimiento científico*, Madrid, Morata, 1998.

POZO, Juan Ignacio y Miguel Ángel Gómez Crespo, *Aprender y enseñar ciencia. Del conocimiento cotidiano al conocimiento científico*, Madrid, Morata, 2000.

RASTOIN-FARGERON, François, *La alimentación*, México, SEP-Larousse, 2006.

SAHAGÚN, Bernardino de, *Historia general de las cosas de Nueva España*, México, Porrúa, 2006.

SILVA, Osvaldo, *Civilizaciones prehispánicas de América*, Santiago de Chile, Editorial Universitaria, 2006.

VYGOTSKY, Lev, *Pensamiento y lenguaje*, Barcelona, Paidós, 1995.

WONG, George, *Animales y plantas viven aquí*, México, SEP-Planeta, 2002.

WOOD, Robert, *Ciencia creativa y recreativa: experimentos fáciles para niños y adolescentes*, México, SEP-McGraw-Hill Interamericana, 2004.

ZEITOUN, Charline, *El cuerpo*, México, SEP, 2005.

## Referencias de Internet

http://ideasprevias.cintrum.unam.mx:2048
http://www.conocimientosweb.net/mestizos/article28.html
http://www.edufuturo.com/educacion.php?c=2459
http://www.juntadeandalucia.es/averroes/manuelperez/curso0405/udanatomia/reproductor/index.htm
http://kidshealth.org/parent/en_espanol/general/male_reproductive_esp.html
http://cma.aldeae.net/Media/default.asp?gestacion.swf
http://www.conevyt.org.mx/cursos/cursos/edu_hijos/contenido/fasciculos/sex_4/sexyrepro.html
http://www.juntadeandalucia.es/averroes/~29701428/salud/ssvv/repro1.htm
http://educacion.practicopedia.com/como-funciona-el-sistema-nervioso-2386
http://www.redem.org/primaria%20c%20naturales.html
http://kidshealth.org/misc/movie/spanish/bodyBasicsBrain/bodyBasicsESP_brain.html
http://www.supersaber.com/digestivo.htm
http://www.escolar.com/cnat/a21aparatdigest.htm
http://www.gobiernodecanarias.org/educacion/9/Usr/eltanque/pizarradigital
AparatoDigestivo/inicio_cm.html
http://www.ime.gob.mx/programas_salud/vacunas.htm
http://www.umm.edu/esp_ency/article/000003prv.htm
http://www.childrenscentralcal.org/Espanol/HealthS/P05937/P05953/P05926/Pages/home.aspx
http://www.rena.edu.ve/SegundaEtapa/ciencias/tiposrepro.html
http://www.botannical-online.com/partesdelasplantas.htm
http://www.rena.edu.ve/primeraetapa/Ciencias/partesplan.html
http://www.rena.edu.ve/SegundaEtapa/ciencias/reproduccionanimales.html
http://ideasprevias.cinstrum.unam.mx:2048/preconceptos.htm
http://www.conagua.gob.mx
http://spaceplace.nasa.gov/sp/kids/
http://www.spitzer.caltech.edu/espanol/edu/askkids/suneclipse.shtml
http://ciencia.msfc.nasa.gov/
http://www.caricature.es/directorio2/eclipses-para-ninos.html
http://www.bbc.co.uk/mundo/ciencia_tecnologia/index.shtml
http://www.fisicadebolsillo.com/modelos-geocentricos.html
http://educacion.practicopedia.com/como-funciona-el-sistema-nervioso-2386
http://www.redem.org/primaria%20c%20naturales.html
http://kidshealth.org/misc/movie/spanish/bodyBasicsBrain/bodyBasicsESP_brain.html

# Créditos iconográficos

Para la elaboración de este libro se utilizaron fotografías, visualizaciones, y diagramas de las siguientes instituciones y personas:

**p. 10:** índice metabólico basal, (IMB) © www.TheVisualMD.com; **p. 12:** aparatos y sistemas, © www.TheVisualMD.com; **p. 13:** (izq.) mujer hincada, desnuda, con argollas en la nariz, fotografía de Marco Antonio Pacheco; (der.) "El adolescente de Tamuín", 111 x 39 cm, fotografía de Marco Antonio Pacheco, © Arqueología Mexicana; **p. 19:** (ab.) cerebro y sistema nervioso, © www.TheVisualMD.com; **p. 20:** (ab.) sistema óseo y nervioso, © www.TheVisualMD.com; **p. 21:** (arr.) sistema nervioso central; (ab.) esqueleto femenino, © www.TheVisualMD.com; **p. 22:** (ab.) sistema circulatorio, © www.TheVisualMD.com; **p. 25:** Aparato digestivo, © www.TheVisualMD.com; **p. 26:** (izq.) tráquea y pulmones, © www.TheVisualMD.com; **p. 31:** *Códice Florentino*, reprografía de Marco Antonio Pacheco, © Arqueología Mexicana; **p. 40:** ojo en Xilitla, San Luis Potosí, fotografía de Arturo Curiel Ballesteros; **p. 42:** cuello volcánico en el Cañón de Batopilas, México, fotografía de Phil Schermeister, © National Geographic Stock; **p. 43:** (arr. izq.) acercamiento de un helecho tropical, fotografía de Darlyne A. Murawski; (arr. der.) piña y rama de un abeto, fotografía de Point Adolphus/Michael Melford, © National Geographic Stock; (ab.) orquídea, © Fulvio Eccardi, fotografía; **p. 44:** (izq.) bugambilias, © Photostock; (der.) flor de obelisco, fotografía de Taylor S. Kennedy, © National Geographic Stock; **p. 45:** flor de ninfea, La Encrucijada, Chiapas, © Fulvio Eccardi, fotografía; **p. 46:** (centro) papa, fotografía © de Rob Byron, www.parangaimages.com; (frijoles: Colección de brotes, fotografía © de Acik, www.parangaimages.com; **p. 48:** (centro) escarabajo sobre una flor, © Jesús Cortés; (izq.) abeja polinizando; (der.) ave polinizadora, © Eduardo Fanti; **p. 49:** murciélagos polinizadores, © Eduardo Fanti; **p. 50:** Diente de león, El Cardonal, Chiapas, © Fulvio Eccardi, fotografía; **p. 51** (der. segunda a cuarta imagen de arr. hacia ab.) pitón; eclosión; parto, © Eduardo Fanti; (arriba der.) tortuga naciendo, fotografía de Michael Durham/Minden Pictures, © National Geographic Stock; (ab.) apareamiento de jaguar, ZooMAT, Chiapas, © Fulvio Eccardi, fotografía; **p. 52:** (izq.) grupo de delfín común, océano Pacífico; (der.) vaca y becerro, © Fulvio Eccardi, fotografía; **p. 53:** (ab.) pingüinos emperador con polluelos, fotografía de Alaska Stock Images, © National Geographic Stock; (arr.) apareamiento de gaviota ploma, Isla Rasa, golfo de California, © Fulvio Eccardi, fotografía; **p. 54:** (izq.) hongos cabeza de garrote y bejín, fotografía de Paul Zahl; (der.) hongos en un tronco de árbol, fotografía de Sam Abell, © National Geographic Stock; **p. 57:** hongos, fotografía de Bianca Lavies, © National Geographic Stock; **p. 58:** raíces de mangle, reserva de la biosfera La Encrucijada, Chiapas, © Fulvio Eccardi, fotografía; **pp. 60-61:** factores abióticos, Arturo Curiel Ballesteros; **p. 63:** (centro) paisaje nevado, © Latinstock; (arr.) nubes; (ab.) cascada, Arturo Curiel Ballesteros; **p. 64:** (ab. izq.) monstruo de Gila en el desierto de Sonora, fotografía de Patricio Robles Gil/Minden Pictures; (ab. der.) poliporos de abedul sobre un tronco caído, fotografía de Darlyne A. Murawski, © National Geographic Stock; (arr. izq.) zopilote rey, ZooMAT, Chiapas; (arr. der.) liebre de California, isla Tiburón, golfo de California, © Fulvio Eccardi, fotografía; **p. 65:** (centro izq.) musgo en el suelo del bosque, fotografía de Gordon Wiltsie; (centro) esporangia de moho mucilaginoso sobre madera, fotografía de Stephen Sharnoff y Sylvia Duran, © National

Geographic Stock; (arr.) gavilán pescador, isla Partida, golfo de California; (ab.) jaguar, ZooMAT, Chiapas, © Fulvio Eccardi, fotografía; **p. 68:** (arr.) pájaro carpintero cabecirrojo, reserva de la biosfera Montes Azules, Chiapas; (ab.) macho de venado cola blanca, Zacatecas, © Fulvio Eccardi, fotografía; **p. 72:** tres estados de la materia, hielo, agua y vapor, fotografía de Mehau Kulyk, © Science Photo Library; **pp. 74-75:** vórtices de patrones de humo, fotografía de la Fuerza Aérea de Estados Unidos, Russell E. Cooley IV, © Science Photo Library; **p. 76:** materiales diversos, Petra Ediciones: fotografías de Víctor Alain Iváñez; **p. 77:** (centro arr.) rocas y monedas; (centro ab.) bloque de madera y cubo de hielo; (ab. der.) grifo, Petra Ediciones: fotografías de Víctor Alain Iváñez; **p. 78:** (izq.) gotas de agua, fotografía de Adam Hart-Davis, © Science Photo Library; **p. 79:** (centro) botella con yodo en estado gaseoso; (der. abajo) hielo seco, fotografía de Gustoimages, © Science Photo Library; **p. 81:** (izq.) mantequilla derretida; (der.) parafina escurriendo, Petra Ediciones: fotografías de Víctor Alain Iváñez; **p. 82:** (centro der.) nube cúmulo, Petra Ediciones: fotografías de Víctor Alain Iváñez; (centro izq.) nube cirrus, fotografía de Detlev van Ravenswaay, © Science Photo Library; **p. 83:** interior de una cueva, fotografía de Larry Fisher, © Other images; **pp. 84-85:** (arr.) *Naturaleza muerta* (detalle) (*ca.* 62-79 a.C.) fresco romano, 50.5 x 180 cm, encontrado en Herculano; (ab.) *Naturaleza muerta* (79 a.C.), fresco romano, 27 x 97.5 cm, Pompeya; **p. 86:** (ab.) huevos crudos y huevo cocido, Petra Ediciones: fotografías de Víctor Alain Iváñez; (arr. der.) ingredientes típicos de la comida maya, fotografía de David Sanger; (centro) mujer preparando comida, Xochimilco, fotografía de Kathleen Finlay, © Other images; **p. 87:** (arr.) plato de frijoles; (ab.) cochinita pibil, Petra Ediciones: fotografías de Víctor Alain Iváñez; **p. 88:** serie de frascos con caldo de pollo, Petra Ediciones: fotografías de Víctor Alain Iváñez; **p. 89:** refrigerador, © Photostock; **p. 90:** (arr. der.) pescado congelado, Petra Ediciones: fotografías de Víctor Alain Iváñez; (izq. centro) depósito de reciclaje de refrigeradores, Canadá, fotografía de Alan Sirulnikoff; (izq. ab.) refrigerador con etiqueta FIDE, fotografía de Enrique Martínez Horta, Archivo Iconográfico, DGME/SEP; (der. ab.); Mario Molina, químico mexicano, fotografía de Emilio Serge, © Science Photo Library; **p. 91:** (arr. der.) retrato del químico francés Luis Pasteur, reproducción de la Biblioteca Nacional de Medicina; (ab.) galería de exhibición científica, Museo Pasteur, París, fotografía de Philippe Gontier, © Science Photo Library; **p. 92:** (arr. izq.) bebidas pasteurizadas; (ab. der.) chiles secos, Petra Ediciones: fotografías de Víctor Alain Iváñez; (izq.) cecina ahumada, fotografía de Danny Lehman, © Latinstock; **p. 93:** (centro) ciruelas y uvas; (ab.) charales, Petra Ediciones: fotografías de Víctor Alain Iváñez; (arr.) *Escena de cocina* (siglo XVII), Alejandro de Laorte (*ca.* 1590-1626), óleo sobre tela, 100 x 122 cm, Museo Nacional de Ámsterdam; **p. 94:** manzanas y pera, Petra Ediciones: fotografías de Víctor Alain Iváñez; **p. 96:** charola con fruta para preparar orejones, Petra Ediciones: fotografías de Víctor Alain Iváñez; **p. 98:** paisaje natural en México, Chihuahua, fotografía de Carlos Sánchez Pereyra, © Latinstock; **p. 100:** reflejo de peces, Petra Ediciones: fotografías de Víctor Alain Iváñez; **p. 101:** pescador en una laguna de Mazatlán, fotografía de Dave Bartruff, © Latinstock; **p. 102:** (abajo) montaje de transportador sobre espejo, Petra Ediciones: fotografías de Víctor Alain Iváñez; **p. 103:** luz reflejada en un espejo, fotografía de Martyn F. Chillmaid, © Science Photo Library; **p. 104:** (arr.) fibra óptica © Photo Stock; (ab.) almohadilla de fibra óptica que emite luz para reducir el nivel de bilirrubina © Other Images; **p. 105:** (ab.) reflejo de árboles, © Latinstock; (arr.) reflejo de un espejo, Petra Ediciones: fotografías de Víctor Alain Iváñez; **p. 106:** (arr. izq.) espectadores con periscopios, 1939, fotografía de la Colección

Hulton-Deutsch; (centro der.) submarino Louisville, 1992, fotografía de Steve Kaufman; (abajo) escalera en el Fórum Caixa, Madrid, fotografía de Guido Cozzi, © Latinstock; **p. 107:** (arr. der.) gota de agua en un retoño de flor, fotografía de Dr. John Brackenbury; (arr. izq.) gota de agua sobre una hoja de la planta Tropaeoleum majus, fotografía del Dr. John Brackenbury, © Science Photo Library; (ab. izq.) imagen de la silla refractada a través de un vaso con agua, fotografía de Masterfile; (ab. der.) pies dentro de una alberca, fotografía de Masterfile, © Other images; **p. 108:** (ab.) binoculares, © Other images; (arr.) refracción de lápices de colores, Petra Ediciones: fotografías de Víctor Alain Iváñez; **p. 109:** (ab. der.) gerbera a través de una lupa, Petra Ediciones: fotografías de Víctor Alain Iváñez; (arriba der.) lentes, fotografía de Tips, © Other images; **pp. 110-111:** cabello electrizado, Petra Ediciones: fotografías de Víctor Alain Iváñez; **p. 112** (de arr. a ab.) globos con confeti; unicel adherido por electricidad estática a un cepillo, Petra Ediciones: fotografías de Víctor Alain Iváñez; **p. 113:** ámbar, Petra Ediciones: fotografías de Víctor Alain Iváñez; **p. 115:** (arr.) máquina de vapor antigua, © Photostock; (izq. centro) la primera motocicleta, ilustración histórica de Shelia Terry; **p. 116:** (arr.) secuencia de espiral de papel girando sobre una vela, Petra Ediciones: fotografías de Víctor Alain Iváñez; **p. 117:** (ab. der.) rueda de máquina, fotografía de Pepperprint, © Latinstock; (arr.) locomotora de vapor, fotografía de Victor de Schwanberg, © Science Photo Library; **p. 118:** (arr.) grabado de Denis Papin, inventor francés, ilustración de Sheila Terry; (ab.) barco de vapor de Jonathan Hull, ilustración de Sheila Terry, © Science Photo Library; **p. 119:** (arr.) gotas de mercurio; (ab.) cruce de vías de tren, Petra Ediciones: fotografías de Víctor Alain Iváñez; **p. 120:** serie de reflejos en un caleidoscopio, Petra Ediciones: fotografías de Víctor Alain Iváñez; **pp. 122-123:** confeti, clips y botella de plástico, Petra Ediciones: fotografías de Víctor Alain Iváñez; **p. 126:** Región central de la Vía Láctea, fotografía de John Sanford, © Science Photo Library; **pp. 128-129:** cielo nocturno, fotografía de Pekka Parviainen, © Science Photo Library; **p. 130:** (arr.) ilustración por computadora de las fases de una estrella, ilustración de Victor Habbick Visions; (arr. der.) estrella enana blanca, ilustración de Mark Garlick, © Science Photo Library; (ab.) planetas del sistema solar, ilustración del Laboratorio Lunar y Planetario, © NASA; **p. 131:** (arr.) la Tierra y la Luna, fotografía de NASA /JPL; (ab. izq.) lanzamiento de la nave espacial Apolo XI, el 16 de julio de 1969, fotografía de NASA/Stennis Space Center; (abajo) Edwin "Buzz" Armstrong caminando en la Luna, © NASA; **p. 132:** (ab.) *Códice Borbónico*, Tonatiuh, detalle, reprografía de Marco Antonio Pacheco, © Arqueología Mexicana; (arr.) Coatlicue, diosa azteca de la tierra, piedra arenisca, 350 x 130 cm, fotografía de Jean-Pierre Courau, © Other images; **p. 133:** (arr.) *La serpiente y el jaguar* (1964), mural de Rufino Tamayo, vinelita sobre tela, 353 x 1221 cm, Museo Nacional de Antropología, fotografía de Marco Antonio Pacheco, Conaculta-INAH-Mex., reproducción autorizada por Instituto Nacional de Antropología e Historia; (centro) *Códice Telleriano-Remensis* (detalle), símbolos de un eclipse, reprografía de Marco Antonio Pacheco, © Arqueología Mexicana; **p. 134:** trompos girando, Petra Ediciones: fotografías de Víctor Alain Iváñez; **p. 135:** La rotación de la Tierra, ilustración de Detlev van Ravenswaay, © Science Photo Library; **p. 137:** (arr. izq.) El Arco, formaciones rocosas en el Mar de Cortés, Cabo San Lucas, fotografía de Brian Sytnyk; (ab. izq.) El Arco al anochecer, fotografía de Brian Sytnyk, © Other images; **pp. 138-139:** (arr.) las cuatro estaciones del planeta Tierra, NASA, versión digital de Science Faction, © Latinstock; **p. 139:** (centro der.) planetas del Sistema Solar, ilustración de NASA /JPL, © Science Photo Library; **p. 140:** (arr.) las fases de la Luna desde un punto de vista aleatorio, ilustración de

William Radcliffe; (ab. izq.) reparación del telescopio espacial Hubble, 1993, fotografía de NASA /Roger Ressmeyer; la Tierra, con el polo norte hacia la derecha, vista desde la Luna, fotografía de NASA; **p. 142:** (izq.) eclipse total de Sol donde se aprecia una llamarada solar, fotografía de Fred Espenak, © Science Photo Library; (der.) Fray Bernardino de Sahagún, Primeros Memoriales. *Códice Matritense*, Palacio Real de Madrid, referencias mexicas a fenómenos y cuerpos celestes, reprografía de Marco Antonio Pacheco, © Arqueología Mexicana; **p. 143:** (arr.) eclipse total de Sol sobre Zambia, África, 2001; **p. 144:** (ab. der.) cosmología aristotélica, Sociedad Real Astronómica, © Science Photo Library; (arr.) Bophal, India, eclipse parcial de Sol, 2007, fotografía de Sanjeev Gupta, © Latinstock; (ab. izq.) astrónomos observan un eclipse solar en Miahuatlán, Oaxaca, fotografía de Albert Moldvay, © National Geographic Stock; **p. 145:** (izq.) sistema solar copernicano, ilustración digital de Victor Habbick Visions; (der.) ilustración del sistema solar copernicano, 1690, Detlev van Ravenswaay, © Science Photo Library; **p. 146:** (arr.) los cinco elementos de Fludd, 1617, Sociedad Real Astronómica; (ab.) cosmología ptoloméica, ilustración de Sheila Terry, © Science Photo Library; **p. 147:** (arr.) dibujo del modelo cosmológico de Kepler, Biblioteca de Humanidades y Ciencias Sociales/Sección de Libros Raros/Biblioteca Pública de Nueva York; (ab.) representación del Sistema Solar, ilustración de Detlev van Ravenswaay, © Science Photo Library.

*Ciencias Naturales Cuarto grado*
se imprimió por encargo de la Comisión
Nacional de Libros de Texto Gratuitos,
en los talleres de Infagón Web, S.A. de C.V.,
con domicilio en Alcaicería No. 8,
Col. Zona Central de Abastos,
Delegación Iztapalapa
C.P. 09040, México, D.F.,
en el mes de junio de 2011
El tiraje fue de 3'132,050 ejemplares.

**Impreso en papel reciclado**

# ¿Qué opinas de tu libro?

Tu opinión es importante para mejorar este libro de *Ciencias Naturales, cuarto grado*. Marca con una (✓) la respuesta que mejor la exprese.

1. ¿El libro despertó tu interés por las Ciencias Naturales?
   - ○ Sí
   - ○ No

2. ¿El lenguaje utilizado es claro?
   - ○ Siempre
   - ○ Casi siempre
   - ○ A veces

3. Las imágenes te ayudaron a:
   - ○ Comprender mejor la información
   - ○ Desarrollar las actividades

4. ¿Las instrucciones de las actividades fueron claras para ti?
   - ○ Siempre
   - ○ Casi siempre
   - ○ A veces

5. Las actividades te permitieron:
   - ○ Desarrollar habilidades científicas
   - ○ Realizar investigaciones
   - ○ Desarrollar proyectos
   - ○ Comprender tu entorno
   - ○ Proponer acciones para solucionar problemas

6. De los siguientes apartados, ¿cuáles te ayudaron a comprender mejor los temas tratados?
   - ○ Un dato interesante
   - ○ La ciencia y sus vínculos
   - ○ Consulta en...

7. ¿Las páginas electrónicas y libros sugeridos en el apartado "Consulta en..." te fueron de fácil acceso?
   - ○ Siempre
   - ○ Casi siempre
   - ○ A veces

8. Las evaluaciones y autoevaluaciones te ayudaron a:
   - ○ Valorar lo que aprendiste
   - ○ Reflexionar acerca de la utilidad de tu aprendizaje
   - ○ Identificar los aspectos que necesitabas mejorar

Si tienes sugerencias para el libro, escríbelas a continuación

_____
_____
_____
_____
_____

# SEP

## Dirección General de Materiales Educativos

Dirección de Desarrollo e Innovación de Materiales Educativos

Viaducto Río de la Piedad 507, cuarto piso,

Granjas México, Iztacalco,

08400, México, D. F.

**Datos generales**

Entidad: _____

Escuela: _____

Turno:        Matutino ☐     Vespertino ☐     Escuela de tiempo completo ☐

Nombre del alumno: _____

Domicilio del alumno: _____

Grado: _____